Discours
Derniers Vers

Du même auteur
dans la même collection

LES AMOURS
LE BOCAGE. LES MESLANGES
DISCOURS. DERNIERS VERS

Ronsard

Discours

Derniers Vers

Chronologie, introduction, notes et glossaire

par Yvonne Bellenger

Bibliographie

par Marie-Dominique Legrand

GF Flammarion

ISBN : 2-08-070316-1

CHRONOLOGIE

1524 (10 ou 11 septembre) : Naissance de Pierre de Ronsard au manoir de la Possonnière dans la paroisse de Couture près de Vendôme.

1536-1540 : Ronsard vit à la cour, comme page. Il voyage en Écosse, en Allemagne. Il devient sourd et renonce à ses projets de carrière à la cour et dans l'armée.

1543 : Il reçoit la tonsure (les ordres mineurs) au Mans. La même année, il fait la connaissance de Jacques Peletier.

1547 : Avec Baïf et du Bellay, il devient (pour plus de cinq ans) l'élève de Daurat, le savant helléniste, au collège de Coqueret, sur la Montagne Sainte-Geneviève à Paris.

1550-1560 : Il publie de nombreux poèmes, et est reconnu comme le chef de file incontesté de la nouvelle école poétique (*Odes, Amours, Hymnes,* poésies diverses).

1559 : Fin des guerres d'Italie. Des mariages princiers figurent dans les clauses du traité du Cateau-Cambrésis. Au cours des fêtes qui les célèbrent, à Paris, le roi Henri II est tué accidentellement dans un tournoi. Son fils François II lui succède. Les Guise, oncles de la nouvelle reine, Marie Stuart, sont tout puissants.

1560 (1er janvier) : Mort de Du Bellay. (Mars) Conjuration d'Amboise, cruellement châtiée. (Décembre)

Première édition collective des *Œuvres* de Ronsard, comprenant notamment l'*Elegie sur les troubles d'Amboise* et l'*Elegie à des Masures*. Mort du jeune roi François II : Charles IX, âgé de dix ans, lui succède, et Catherine de Médicis devient régente. États généraux d'Orléans.

Ronsard a hérité du canonicat de Saint-Julien du Mans dont du Bellay était le titulaire.

1561 : Ronsard compose l'*Institution pour l'adolescence du roy Charles IX*. (Août) Nouvelle réunion des États généraux à Pontoise. (Octobre) Colloque de Poissy : duel oratoire entre le cardinal de Lorraine et Théodore de Bèze. Marie Stuart regagne l'Écosse.

1562 : Édit de janvier, accordant aux protestants la liberté de culte hors de la limite des villes. (Mars) Massacre de Wassy, en Champagne, et début de la première guerre de religion. Ronsard publie l'*Institution...*, le *Discours des miseres...*, la *Continuation du discours des miseres...*, ainsi que la *Remonstrance...* Les pamphlets protestants s'accumulent contre le poète. (Septembre-octobre) Siège de Rouen. (Novembre) Mort d'Antoine de Bourbon. (Décembre) Bataille de Dreux.

1563 (février) : Assassinat de François de Guise. (Mars) Paix d'Amboise et fin de la première guerre de religion. Clôture du Concile de Trente. (Printemps) *Responce aux injures et calomnies...*

1564 (février et mai) : Fêtes de Fontainebleau. (Octobre) *Epistre au Lecteur* en tête des *Nouvelles Poësies*.

Mort de Michel-Ange et de Calvin. Naissance de Shakespeare. Ronsard devient abbé de Bellozane, en succession d'Amyot, et échange cette commende contre le prieuré de Saint-Cosme, près de Tours.

(Mars) Début du grand voyage à travers la France, qui durera deux ans, du jeune roi Charles IX et de sa mère la régente Catherine de Médicis.

1565 (juin-juillet) : Entrevue de Bayonne entre Catherine de Médicis et la reine d'Espagne, sa fille, qu'accompagne le duc d'Albe. (Septembre) *Elegies, masquarades et bergerie,* qui se terminent par une *Paraphrase de Te Deum.* (Novembre) Ronsard reçoit le roi à Saint-Cosme. Publication de l'*Abrégé de l'art poëtique françois.*

1566 : Ronsard devient chanoine de Saint-Martin de Tours, puis reçoit en commende le prieuré de Croixval. Insurrection des Pays-Bas.

1567 (avril) : Deuxième édition collective des *Œuvres,* en six livres : le sixième s'intitule *Les Discours* et reprend les pièces polémiques de 1562 et 1563, mais aussi l'*Epistre* de 1564 et la *Paraphrase de Te Deum* de 1565. Le tout est précédé d'une dédicace en latin, à Charles d'Angennes, évêque du Mans, et comprend un échange d'épigrammes entre le poète et ses adversaires genevois, suivi d'une pièce latine de Daurat en hommage à Ronsard. (Septembre) Ronsard siège dans un jury au Collège Royal (Collège de France). (Septembre-octobre) Reprise des hostilités : deuxième guerre de religion. (Novembre) Bataille de Saint-Denis.

1568 : Ronsard malade à Saint-Cosme. (Mars) Paix de Longjumeau et fin de la deuxième guerre de religion. (Mai) Disgrâce du chancelier de L'Hospital. (Septembre) Les chefs protestants se réfugient à La Rochelle. Marie Stuart est prisonnière des Anglais.

1569 : Troisième guerre de religion : victoire du jeune duc d'Anjou (futur Henri III) à Jarnac (mars), mort de Condé. (Juillet-septembre) Siège de Poitiers et échec de Coligny. (Octobre) Bataille de Moncontour : brillante victoire du duc d'Anjou et déroute des protestants commandés par Coligny. Publication de *L'Hydre deffaict* dans les *Pæanes...,* chants de triomphe en l'honneur du jeune duc d'Anjou.
(Août) Ronsard publie les VIe et VIIe livres des *Poëmes.*

1570-1578 : Retour de Ronsard à la cour. Fondation de

l'Académie de Poésie et de Musique de Baïf (1570). Ronsard publie les troisième (1571), quatrième (1572-1573) et cinquième (1578) éditions collectives de ses *Œuvres*. Dans cette cinquième édition, il remanie *Les Discours* en y intégrant non seulement *L'Hydre deffaict* de 1569 mais aussi sa continuation inédite *Les Elemens ennemis de l'Hydre,* ainsi que la *Priere à Dieu pour la victoire* [de Moncontour].

Les événements demeurent aussi sombres et agités. Août 1570 : la paix de Saint-Germain achève la troisième guerre de religion. Octobre 1571 : les puissances catholiques liguées contre les Ottomans triomphent dans la bataille navale de Lépante (au sud du Péloponnèse) sous le commandement de Don Juan d'Autriche. En France, le 24 août 1572, le meurtre de Coligny et le massacre des protestants (Saint-Barthélemy) déclenchent une série de tueries dans les provinces. Début de la quatrième guerre de religion qui dure jusqu'en juillet 1573 (paix de La Rochelle). 1574 : mort de Charles IX et avènement d'Henri III. 1574-1576 : cinquième guerre de religion ; mai 1576 : paix de Beaulieu, mais aussi formation de la Sainte-Ligue. En 1576-1577, c'est la sixième guerre de religion, qui s'achève en septembre 1577 avec la paix de Bergerac.

1578-1584 : Ronsard séjourne de plus en plus dans ses prieurés des bords de Loire. En 1580, a éclaté la septième guerre de religion (novembre 1580 : paix de Fleix), cependant que la même année, paraît la première édition des *Essais* de Montaigne. En 1584, Ronsard donne la sixième édition collective de ses *Œuvres*. Elle comporte sept « parties » (et non plus tomes) et présente, dans la septième de ces parties, un nouveau remaniement des *Discours* (et de leur titre général, qui devient *Discours des miseres de ce temps*) avec la publication d'une pièce nouvelle, les *Prognostiques sur les miseres de nostre temps,* qu'on pourrait croire écrite au plus fort de la querelle, vingt ans plus tôt.

1585 : Reprise du conflit : début de la huitième et dernière guerre de religion, qui ne se terminera qu'en 1598 avec l'Édit de Nantes.
(27 décembre) Mort de Ronsard, à Saint-Cosme.

1586 (février) : Cérémonie en hommage au poète, à Paris, au collège de Boncourt, devant une très brillante assistance. Publication des *Derniers Vers*.

1587 : Septième édition collective des *Œuvres*, la dernière revue par le poète. Exécution de Marie Stuart.

INTRODUCTION

« LE PLUS GRAND DE NOS POÈTES INCONNUS[1] »

Au septième livre de ses *Recherches de la France,* évoquant « la grande flotte de Poëtes que produisit le regne du Roy Henry deuxiesme, et [...] la nouvelle forme de Poësie par eux introduite[2] », Estienne Pasquier prononce de Ronsard un éloge magnifique :

> On ne peut assez haut loüer la memoire du grand Ronsard. [...] Il a en nostre langue representé uns[3] Homere, Pindare, Theocrite, Virgile, Catulle, Horace, Petrarque, et par mesme moyen diversifié son style en autant de manieres qu'il y luy a pleu, ores d'un ton haut, ores moyen, ores bas.

Pasquier conclut par ces mots, qui résument l'opinion des contemporains sur les deux plus grands poètes de la Pléiade, et d'abord sur le Vendômois Pierre de Ronsard :

> Chacun luy donne la gravité, et à du Bellay la douceur.

La gravité : parmi les lecteurs du poète, qui pourrait en douter ? Et pourtant, il y a moins de vingt ans, l'auteur d'un excellent ouvrage de vulgarisation, Gilbert Gadoffre dans son *Ronsard par lui-même,* devait encore prendre la peine d'avertir le public que Ronsard, au cours de sa longue vie, ne s'était pas contenté de « cueillir des fleurettes et [de] trousser des compliments aux filles ». Le grand Ronsard dont parle Pasquier demeure en effet passablement méconnu, et bon nombre de ses œuvres les plus belles, pour nos contemporains même cultivés, ne sont, trop souvent, que des titres un peu vagues.

Ronsard déconcerte par l'ampleur et la variété de ses dons le lecteur de la fin du XXe siècle qui se plaît à classer et à étiqueter. Il n'est pas seulement un poète de l'amour, de la mort, de la guerre, un poète philosophique, un poète de cour, un poète scientifique : il est tout cela à la fois, et dérange à cause de cette richesse. D'autant plus qu'il ne se laisse pas cataloguer par les exigences de nos modes : il n'est pas « tragique » comme d'Aubigné; il est peut-être moins pathétique que Marot; il n'a jamais été ni un persécuté, ni un maudit, ni un nanti. Sa vie offre peu de prises au biographe amateur de petits faits curieux ou d'événements extraordinaires (à moins de confondre, comme ce fut parfois le cas au XIXe et au début du XXe siècle, la biographie réelle et la biographie rêvée du poète !). Rien de comparable avec l'existence mouvementée de certains de ses modèles, de ses admirateurs ou de ses imitateurs : confrontée à la vie de Marie Stuart ou de D'Aubigné, celle de Ronsard est passablement terne. Pas même un voyage à Rome pour animer l'ensemble, comme chez du Bellay. Dès son adolescence, cet homme fut poète. Ni soldat (comme d'Aubigné), ni magistrat (comme plus tard La Ceppède), ni religieux (comme du Perron) : rien que poète.

Faut-il pour cette raison s'étonner qu'il ait pris part, dans ses écrits, aux luttes qui commençaient de déchirer la France ? Cela reviendrait à imaginer qu'un poète vit nécessairement, sinon dans la lune, du moins hors du temps. En fait, la poésie militante n'a pas attendu pour se manifester la vogue de l'engagement en littérature qui sévit pendant quelques années au lendemain de la dernière guerre. A ce propos, il est d'usage de se référer à Victor Hugo et à ses *Châtiments*. Bien avant cela, avant même d'Aubigné et ses *Tragiques* — publiés, rappelons-le, au début du XVIIe siècle — avant la *Satire Ménippée,* polémique exemplaire à la fin des guerres de religion, il y avait une tradition fort ancienne de l'engagement en littérature, mais dans un sens un peu différent, peut-être, de celui auquel nous sommes habitués. A une époque où tout poète sans fortune devait nécessairement trouver un mécène s'il voulait vivre, comment eût-il pu se désintéresser du monde, sinon par goût personnel, du moins pour courtiser efficacement son maître ? comment demeurer indifférent à la fortune de celui-ci et ne pas la célébrer, ou la déplorer ? Il y a, tout au long du XVIe siècle, une veine poétique d'éloges officiels qui n'est pas la plus prisée des lecteurs de la fin du XXe siècle, certes, mais qui n'en existe pas moins : cette tradition encomiastique héritée de l'Antiquité, conforme à la pratique des rhétoriqueurs et, plus récemment, d'un Marot (pour ne citer que les plus connus), n'impliquait-elle pas l'attention aux réalités, à l'histoire, voire à la politique ?

Dès ses débuts, Ronsard s'y est soumis. Dès ses premières œuvres, ces odes de 1550 si nouvelles qu'elles suscitèrent un succès de scandale, il se comportait en poète des réalités. C'est le poète *dans* le monde qui composait ces odes pindariques, apparemment si peu « actuelles », mais dont la première s'adressait « Au Roi », la seconde « A la Roine », et ainsi de suite, dans un ordre respectueux des hiérarchies. A strictement parler, le Ronsard des odes était déjà un poète « engagé ».

On voit combien les mots, hors de leur contexte historique, risquent de perdre tout sens. Pour éviter la confusion, on rejettera donc, à propos des *Discours,* l'épithète ambiguë de littérature « engagée » pour parler plutôt de poésie militante. S'engager est banal. Se battre l'est moins : en témoignent les réactions violentes suscitées par les textes polémiques de Ronsard, dont la nouveauté n'est pas de se ranger derrière un des partis en cause ni même de le célébrer, mais d'évoquer et de discuter les mobiles idéologiques d'un conflit. Avec *Les Discours,* Ronsard ajoutait une autre corde à sa lyre et, en créant un ton, voire un genre, il élargissait le rôle déjà considérable qu'il assignait à la poésie. C'est cette découverte d'une nouvelle musique poétique qu'évoque, dans le chapitre des *Recherches de la France* que nous citions plus haut, l'excellent critique littéraire que fut Estienne Pasquier :

> Les Troubles estans survenus vers l'an 1560 par l'introduction de la nouvelle Religion, il escrivit contre ceux qui estoient d'advis de la soutenir par les armes. Il y avoit plusieurs esprits gaillards de cette partie, qui par un commun vœu armerent leurs plumes contre luy Je luy imputois à malheur, que luy auparavant chery, honoré, courtisé par tant d'escrits, se fust fait nouvelle bute de mocquerie : mais certes il eut interest de faire ce coup d'essay, parce que les vers que l'on escrivit contre luy esguiserent et sa colere et son esprit de telle façon [...] qu'il n'y a rien de si beau en tous ses œuvres que les responses qu'il leur fit, soit à repousser leurs injures, soit à haut loüer l'honneur de Dieu et de son Eglise.

Si l'on suit bien Pasquier, les mobiles de Ronsard furent donc de deux sortes : d'une part, l'urgence politique (ou religieuse : mais à l'époque les deux notions se confondent), d'autre part, des motifs personnels.

LES CIRCONSTANCES POLITIQUES ET RELIGIEUSES DE LA COMPOSITION DES DISCOURS

1560 est une année critique pour la France. Le roi Henri II vient de mourir accidentellement lors d'un tournoi, alors que la fin des guerres d'Italie lui laissait les mains libres pour la répression de l'hérésie : il exécrait le calvinisme. Au moment de sa mort, en juillet 1559, plusieurs magistrats parisiens étaient emprisonnés pour avoir osé, en plein Parlement, blâmer le souverain de persécuter des hommes qui mouraient le nom de Jésus-Christ à la bouche !

Malgré cette disparition, et malgré les premiers espoirs qu'elle avait fait naître chez les réformés, l'un des emprisonnés, Anne du Bourg, fut condamné et exécuté en

LES ROIS DE FRANCE AU XVIe SIÈCLE

FRANÇOIS Ier (1515-1547) a pour sœur . . .	Marguerite d'Angoulême, reine de Navarre
HENRI II (1547-1559) ép. Catherine de Médicis	Jeanne d'Albret, ép. Antoine de Bourbon

FRANÇOIS II	Elisabeth	CHARLES IX	HENRI III	Marguerite épouse :	Henri
(1559-1560) ép Marie Stuart	ép. Philippe II d'Espagne	(1560-1574)	(1574-1589)		de Bourbon, roi de Navarre, puis de France HENRI IV (1589-1610)

décembre 1559, cependant que, pour le venger, des protestants assassinaient un autre parlementaire, catholique cette fois, le président Minard, coupable d'avoir poursuivi la condamnation d'Anne du Bourg avec un acharnement particulier. Tel était l'état des esprits au début du règne de François II.

On date d'ordinaire les guerres de religion — on en compte huit — du massacre de Wassy, en Champagne, perpétré le 1er mars 1562. Toutefois, dès 1560, nombre de faits laissaient prévoir l'explosion. Sous le nouveau règne, les Guise, oncles de la reine Marie Stuart, sont tout puissants. Loin de s'atténuer, la répression s'aggrave. De part et d'autre, les passions s'exacerbent. Mais François II ne règne guère (pas même un an et demi), et sa mort laisse le trône à un enfant, son frère Charles IX, âgé de dix ans. La reine mère Catherine de Médicis devient régente du royaume.

A travers des difficultés sans nombre, non sans maladresses graves, mais non sans mérite, la reine et son chancelier, Michel de L'Hospital, s'efforcent d'instaurer une politique de tolérance. L'échec de cette politique ne peut mieux se résumer qu'en opposant deux faits historiques : en 1562, est promulgué l'Édit de janvier (moins de deux mois avant l'éclatement des guerres), dont les clauses font preuve, en matière religieuse, d'une tolérance tout à fait extraordinaire; il faudra attendre un tiers de siècle pour que les dispositions de l'Édit de janvier soient reprises et élargies dans ce chef-d'œuvre de pacification intérieure que sera l'Édit de Nantes, mais que seule l'autorité d'Henri IV — appuyée, il est vrai, sur la lassitude d'un peuple exsangue — saura imposer après trois décennies et demie de guerres impitoyables. En regard, dix ans après l'Édit de janvier, c'est la Saint-Barthélemy, le 24 août 1572, qui demeure quatre siècles plus tard le symbole du fanatisme déchaîné. Déclenchés à Paris, les massacres se répéteront à travers la France pendant plusieurs jours, tueries abominables qui, même non préméditées, entachent à jamais la mémoire de Charles IX et de Catherine de Médicis.

RONSARD ET LA RÉFORME

Dans ce décor shakespearien de bruit et de fureur, on conçoit qu'il ait été difficile de garder la tête froide. Pourtant, au début des années sombres, en 1560 et en 1561, il semble que Ronsard ait essayé.

Son opinion est alors celle de bon nombre de catholiques modérés : l'Église n'est pas à l'abri de tout reproche, et elle doit se corriger sans attendre. (C'est d'ailleurs à cette entreprise que vont s'attacher les autorités religieuses à la suite des résolutions du Concile de Trente, dont les sessions reprendront en 1562-1563, et qui mettra sur pied la Contre-Réforme.) Mais les protestants n'en ont pas moins les premiers torts, puisqu'ils ont introduit les ferments de désordre : ils pèchent par présomption et par orgueil. En somme, c'est à peu près l'opinion que Montaigne exprimera vingt-cinq ou trente ans plus tard :

> ... le meilleur pretexte de nouvelleté est tres-dangereux : *adeo nihil motum ex antiquo probabile est* [tant il est vrai qu'aucun changement apporté aux institutions anciennes ne mérite d'approbation]. Si me semble-t-il, à le dire franchement, qu'il y a grand amour de soy et presomption d'estimer ses opinions jusque-là que, pour les establir, il faille renverser une paix publique, et introduire tant de maux inevitables et une si horrible corruption de meurs que les guerres civiles apportent, et les mutations d'estat, en chose de tel pois ; et les introduire en son pays propre
>
> (*Essais*, I, 23)

Jusque-là, bon catholique mais peu théologien et encore moins fanatique, Ronsard demeure donc en bons termes avec les huguenots. Il dit même, dans l'un de ses *Discours*, comment à ses débuts la Réforme lui inspira quelque sympathie :

> Si vous n'eussiés parlé que d'amender l'Eglise,
> Que d'oster les abus de l'avare prestrise,
> Je vous eusse suivy, et n'eusse pas esté
> Le moindre de ceux là qui vous ont escouté [4].

Il est d'ailleurs significatif de le voir publier en 1560 deux élégies, l'une sur un événement d'actualité extrêmement grave, la conjuration d'Amboise, et l'autre qui cherche à convaincre son lecteur que la Réforme est l'erreur, mais sur un ton mesuré, et qui est dédiée à des Masures, passé au protestantisme depuis deux ans. L'année suivante, en 1561, Ronsard préface encore le recueil de *Théâtre* publié par Jacques Grevin, lui-même réformé — dont on le verra parler avec une sévérité sarcastique, mais quatre ans plus tard : il est vrai qu'entre-temps, Grevin avait déclenché les hostilités en composant le premier un libelle fort méchant contre l'auteur des *Discours*.

Dans l'*Institution pour l'adolescence du roy Charles IX*, publié en 1562 mais probablement composée en

1561, l'attitude de Ronsard demeure modérée, quoique le ton se fasse de plus en plus pressant. Comme beaucoup de Français, le poète pense alors qu'on peut éviter le pire. Dans ce « Catéchisme pour un Enfant-Roi[5] », Robert Aulotte souligne que « l'humaniste espère encore qu'il lui suffira d'exposer de "vives raisons" pour persuader les catholiques de promouvoir dans leur religion les réformes nécessaires et pour amener les protestants, "ces pauvres abusez", à se détourner des enseignements de la "secte calvine" et des folies de Luther[6] ».

Ce n'est qu'après le déclenchement de la première guerre, avec la publication en 1562 des deux *Discours des miseres*..., puis de la *Remonstrance*..., que le poète, sur le plan littéraire, ouvre les hostilités. La guerre éclatée, il ne se croit plus obligé de rester à l'écart de la mêlée, dans le rôle du sage et du conseiller. Il n'est pas exclu que cela ait été aussi une façon de faire sa cour. Quoi qu'il en soit, il prend les armes, et « d'une plume de fer sur un papier d'acier » il entreprend de dénoncer les méfaits de ces fauteurs de guerre que sont désormais les réformés à ses yeux. Accusation tout à fait injuste d'un strict point de vue historique, puisque l'explosion de 1562 était bel et bien due à une provocation du duc de Guise : le massacre de Wassy. Mais la polémique est rarement un terrain propice à l'objectivité !

Devant ces attaques, les protestants sentent le danger et réagissent. C'est que l'audience et le talent du poète font de ses écrits une menace sérieuse pour l'adversaire. Beaucoup plus tard, dans l'oraison funèbre qu'il prononça lors des obsèques du poète, du Perron, le futur cardinal, a très bien résumé cette situation :

> Or est-ce la coustume de ceux qui innovent quelque chose en ces matieres [les disputes de la religion], de rechercher au commencement les attraits et les delices du langage, afin d'allecher le simple peuple par ce moyen, et faire couler plus facilement leur opinion sous la douceur du stile et des paroles. En quoy certes ils avoient beaucoup d'avantage sur les Docteurs Catholiques, dont les uns s'estoient endormis tout à fait

durant le long repos de l'Eglise, et les autres s'estoient plus employez à entretenir le peuple à la pieté et à la devotion qu'à l'eloquence et aux beaux discours. [...] Ce pendant ce defaut apportoit un grand prejudice à la Religion Catholique, à cause qu'il sembloit au menu peuple que leurs Docteurs estoient hommes barbares et ignorans, qui ne sçavoient pas seulement parler leur langue maternelle, et que tout ce qu'il y avoit d'esprits polis et judicieux en ce Royaume estoit de l'autre party; et sur ceste presomption on faisoit courir force livres de Theologie par les mains du vulgaire, non seulement en prose et en oraison solue, mais mesme en rime et en poësie A quoy une infinité de gens applaudissoient pour la nouveauté du sujet, lequel ils n'avoient point encore veu traitter en un tel genre d'escriture, jusques à tant que ce grand Ronsard prenant en main les armes de sa profession, c'est à dire le papier et la plume, afin de combatre ces nouveaux escrivains, s'aida si à propos d'une science profane comme la sienne pour la defence de l'Eglise et apporta si heureusement les richesses et les tresors d'Egypte en la terre saincte, que l'on recongneut incontinent que toute l'elegance et la douceur des lettres n'estoit pas de leur costé, comme ils pretendoient. Au mesme temps donc les voilà qui le prennent à partie en son propre et privé nom, se jettans sur luy tous ensemble comme si la cause de l'Eglise et la sienne eussent esté inseparablement conjointes. Mais il les defendit si glorieusement et l'une et l'autre, qu'ils demeurerent confus et esmerveillez, et n'eurent plus ny de voix ny de langue pour repliquer...

(*Oraison funèbre de Ronsard,* 1586.)

Et, en effet, les huguenots se déchaînent de 1562 à 1564 dans une série de libelles. Jacques Pineaux, qui a particulièrement étudié toute cette querelle, constate qu'alors, « Ronsard étant presque le seul poète à prendre ouvertement position contre la Réforme, cette position en flèche lui valut de recevoir tous les traits protestants, tous les traits de ceux qui s'estimaient trahis et abandonnés par le poète vendômois [7] ». On ne le ménage pas, c'est le moins qu'on puisse dire. Injures et calomnies pleuvent : paillard, luxurieux, idolâtre, pédéraste, laid, vérolé, athée, sont les moindres gentillesses dont on l'accable. Ronsard n'était pas de marbre : il riposte vigoureusement, et la polémique fait rage, au point qu'il faudra l'intervention royale pour la faire cesser [8]. Cela expliquerait la rapidité avec laquelle la querelle, lancée si violemment en 1562, se calma dès 1564, alors que les guerres de religion en étaient encore à leur début. Selon Jacques Pineaux, cela est dû au fait que désormais, Ronsard n'étant plus le seul adversaire en vue des réformés du côté catholique, ses attaques « faisaient partie d'un ensemble polémique à combattre comme tel ». Le poète composera encore quelques pièces polémiques (comme *L'Hydre deffaict* de 1569 ou les *Prognostiques sur les miseres de nostre temps* de 1584), mais ce ne sera plus qu'incidemment.

Revenons donc au point de départ. Outre la nécessité de combattre l'hérésie et le succès de la propagande huguenote, quelles furent les raisons de Ronsard pour se lancer si ardemment dans la bataille ? Cela semble à la fois très clair et très obscur. Très clair, parce qu'on ne risque pas de commettre d'erreur en estimant que Ronsard, comme tous les Français, fut épouvanté devant la tournure que prenaient les événements, qu'en bon catholique il fut indigné des profanations de lieux saints commises par les troupes protestantes [9], qu'en homme de bonne foi il fut horrifié de voir l'intention de réforme, avec laquelle il avait sympathisé [10], se transformer en un déchaînement de violence et de fanatisme :

> Ne presche plus en France une Evangile armée,
> Un Christ empistollé tout noircy de fumée,
> Portant un morion en teste, et dans la main
> Un large coustelas rouge du sang humain,

disait-il à son adversaire Théodore de Bèze dans la *Continuation du discours des miseres*... On peut encore penser qu'en protégé de la faveur royale, il voulut défendre le parti du roi et par intérêt personnel et par conviction dynastique. Mais tout cela est très obscur cependant, parce que, en l'absence de confidences, et compte tenu des différences de mentalité et de sensibilité qui nous séparent du XVIe siècle, il est impossible de trancher. Marcel Raymond l'a excellemment expliqué dans son *Influence de Ronsard :* « Les motifs de sa décision sont suffisamment connus ; ils ne sont pas tous de même nature et de même qualité, et il est possible, au gré de ses sympathies personnelles, de donner le pas aux uns ou aux autres, au loyalisme du gentilhomme, à son credo religieux et politique, à son opportunisme. Croit-on qu'il ait pesé longuement les arguments en faveur de l'intervention ou du silence? Sait-on comment on se dirige aux heures de crise nationale? Il n'est que de relire, dans le volume de M. Pierre Champion [11], le récit des événements de Paris (d'après le Journal de Pierre de Paschal), de janvier à mai 1562, pour pressentir dans quelle atmosphère de fièvre et de panique Ronsard a composé son premier *Discours*. Vivant à la cour, et « poète royal », la nécessité, nouant ensemble mille raisons, l'obligeait à parler, et s'il faut s'étonner, c'est plutôt de la sérénité tragique de sa voix, qui tombe de haut, et ne rappelle en rien celle du partisan aveuglé par la passion et la crainte [12]. »

LES DISCOURS : QUESTIONS DE FORME

Quoi qu'il en soit, nous voici, plus de quatre siècles après ces événements, lecteurs des *Discours* de Ronsard. Que trouvons-nous sous ce titre?

L'appellation prête à discussion, voire à confusion. S'agit-il d'un type de poème, d'un recueil, ou d'un genre?

Type de poème : les premiers « discours » de la Pléiade apparaissent en 1558-1559. Parmi les œuvres de Ronsard, on trouve en 1559, publié en plaquette, un *Discours à treshault et trespuissant Prince, Monseigneur le Duc de Savoye,* composé de 376 décasyllabes à rimes plates. La même année, du Bellay avait publié son *Discours au Roy sur la trefve de l'an 1555,* composé sans doute plus tôt mais bientôt périmé étant donné la rapidité de l'évolution politique dans les dernières années des guerres d'Italie. Ce *Discours sur la trefve* offrait la particularité intéressante d'être rédigé en alexandrins à rimes plates. De même, plusieurs autres textes de Du Bellay, datant au plus tard de 1559[13] et publiés posthumes, notamment l'*Ample Discours au Roy sur le faict des quatre Estats du Royaume de France,* poème politique et fort nettement « engagé » si même il n'est pas encore à proprement parler « militant ». Il faut donc le déclarer nettement : l'inventeur du « discours » comme type de poème n'est pas Ronsard, mais du Bellay.

A partir de 1560, on trouve dans l'œuvre de Ronsard un nombre non négligeable de pièces ainsi désignées. Toutes, néanmoins, ne relèvent pas d'une inspiration polémique, et leur contenu peut être aussi bien amoureux que philosophique : par exemple pour le *Discours amoureux de Genevre* de 1564 ou pour le *Discours à Maistre Julien Chauveau* de 1569 — intitulé par la suite, à partir de 1584, *Discours de l'alteration et change des choses humaines*. S'agit-il donc d'une forme ? Là encore, il est impossible de répondre de façon tranchée : certaines pièces, d'abord désignées comme des « élégies », le seront ensuite comme des « discours[14] ». Faute d'une étude précise qui demeure à faire, on ne peut que signaler ces difficultés et l'incertitude qui en découle.

Parlera-t-on d'un recueil ? Guère plus. Deux constatations aideront à s'en rendre compte : ces *Discours des miseres* écrits par Ronsard dans le feu de la polémique datent des années 1562-1563. Or, à cette date et postérieurement, toutes les pièces en question ne sont publiées qu'en plaquettes, séparément. Ce n'est qu'à partir de 1567 qu'elles seront regroupées (mais aussi remaniées, et augmentées) sous un titre général qui est : *Les Discours*. Nous en donnons la liste p. 42-43 : on verra que l'ensemble comporte alors des poèmes, mais aussi des pièces de prose. Parmi les poèmes, des pièces polémiques (intitulées ou non « discours ») en alexandrins à rimes plates, mais aussi d'autres types de composition versifiée, généralement décasyllabiques, dont la première publication est postérieure aux événements de 1562-1563. Pour essayer d'y voir plus clair, on pourrait considérer les choses de la manière suivante :

— Un « discours » de Ronsard est un poème à rimes plates, généralement d'alexandrins, traitant de sujets divers, et peut-être caractérisé par un ton, « ce ton de noblesse familière qu'aucun poète n'a jamais retrouvé », selon les termes de Marcel Raymond [15].

— *Les Discours* en tant que recueil désignent un ensemble de pièces dont le point commun est de se rapporter à l'actualité des années 1562-1563. La liste des pièces incluses dans *Les Discours* est variable selon les rééditions et elle n'a été établie que postérieurement aux événements en question. On peut caractériser approximativement ce groupe de poèmes et de pièces en prose comme la fraction polémique de l'œuvre de Ronsard.

— Enfin, dans ces *Discours* publiés en recueil, certains poèmes constituent un groupe à part, parce qu'ils sont composés d'alexandrins à rimes plates, parce que leur première publication est contemporaine de l'événement qui les inspire, parce que leur sujet est l'histoire « de ce temps », parce qu'ils présentent tous, plus ou moins, une intention polémique et démonstrative et qu'ils s'adressent directement à l'adversaire protestant. Il n'est donc pas absurde de considérer, dans l'attente de travaux plus précis à ce sujet, que cet ensemble restreint (auquel on pourrait adjoindre divers *Discours* de Du Bellay) informe un nouveau genre littéraire.

CONTENU DES *DISCOURS* : RONSARD ET SES ADVERSAIRES

En 1560 et en 1561, nous l'avons vu, Ronsard espère encore que le pire pourra être évité. Le ton de ses poèmes est donc plus mesuré et se distingue sensiblement des suivants. A partir de 1562, *Les Discours* s'organiseront essentiellement autour de trois thèmes : la déploration des misères, la riposte aux ennemis, la vaticination sur l'histoire.

La querelle, pour être verbale, n'en était pas moins véhémente. Ronsard ne ménageait pas les réformés. Ceux-ci le lui rendirent bien. De l'amas d'invectives dont il fut l'objet, deux reproches le touchèrent particulièrement : on prétendait qu'il était prêtre, et on le jugeait mauvais poète.

Prêtre : l'accusation est grave. Dans ce cas, toute sa poésie d'amour s'en trouve colorée d'un éclat scandaleux. Et c'est d'autant plus fâcheux que, sur cette question, les réformés jouent d'une ambiguïté réelle. Ronsard, qui n'est pas prêtre, est néanmoins clerc. Son père, homme sage et prévoyant, a pris soin de faire tonsurer le jeune homme, cadet sans fortune (cela se passait en 1543). Le poète a donc reçu les ordres mineurs : sans être prêtre et sans pouvoir dire la messe, à condition de demeurer célibataire, il est apte à recevoir des bénéfices ecclésiastiques en commende, autrement dit à toucher des revenus de biens appartenant à l'Église. (On sait qu'il mourra prieur de Saint-Cosme et de Croixval en pays de Loire.) Il est certes permis de juger tout à fait critiquable un tel usage, qui représente l'un des nombreux abus contre lesquels protestaient les réformés. Mais cette pratique existait, c'était la coutume, et l'on considérait que, dès lors, il n'y avait pas de honte à en profiter. Quoi qu'il en soit, l'accusation était redoutable parce qu'elle mettait en jeu la sincérité et la bonne foi du poète : elle lui « collait à la peau », écrit Jacques Pineaux, « comme une tunique de Nessus », en faisant « du patriote loyal, bouleversé par les misères de la France et qui s'était adressé à la reine et au peuple sous le coup de l'émotion, l'agent stipendié d'une puissance étrangère, à rejeter comme tel [16] ». On ne s'étonnera donc pas de la violence avec laquelle le poète récuse cette « calomnie » dans sa *Responce* [17]...

Autre « injure », que le Vendômois supporta fort mal : on l'accusait de n'être plus qu'un mauvais poète, plagiaire, boursouflé, irrégulier et en passe de perdre son public. Piqué au vif, l'auteur de la *Responce...* est magnifique. Il administre à ses détracteurs une véritable leçon de poésie, illustrant avec éclat les conseils qu'il donne. Pleinement conscient de sa valeur, il n'hésite pas à narguer ses accusateurs. Il fulmine :

> ... de ma plenitude
> Vous estes tous remplis : je suis seul vostre estude,
> Vous estes tous yssus de la grandeur de moy,
> Vous estes mes sujets, et je suis vostre loy.
> Vous estes mes ruisseaux, je suis vostre fonteine,
> Et plus vous m'espuisés, plus ma fertile veine
> Repoussant le sablon, jette une source d'eaux
> D'un surjon eternel pour vous autres ruisseaux.

LES DISCOURS : HISTOIRE ET POÉSIE

Enfin *Les Discours* fournissaient à Ronsard l'occasion de vaticiner sur l'histoire en défendant et en illustrant ses vues sur la différence entre le rôle de l'historien et celui du poète. Sur ce point, ses idées étaient bien précises, et il s'en est expliqué en plusieurs endroits de son œuvre, notamment au début de sa première préface de *La Franciade* en 1572 :

> Encore que l'histoire en beaucoup de sortes se conforme à la Poësie, comme en vehemence de parler, harangues, descriptions de batailles, villes, fleuves, mers, montaignes, et autres semblables choses, où le Poëte ne doibt non plus que l'Orateur falsifier le vray, si est-ce quant à leur sujet ils sont aussi eslongnez l'un de l'autre que le vraysemblable est eslongné de la verité. L'Histoire reçoit seulement la chose comme elle est, ou fut, sans desguisure ny fard, et le Poëte s'arreste au vraysemblable, à ce qui peut estre, et à ce qui est desja receu en la commune opinion. [...] J'ose [...] dire (si mon opinion a quelque poix) que le Poëte qui escrit les choses comme elles sont ne merite tant que celuy qui les feint et se recule le plus qu'il luy est possible de l'historien [18]...

Avec *Les Discours,* le sujet de Ronsard est l'histoire, celle « des miseres de CE temps », comme il l'écrit dans deux de ses titres dès 1562, et non pas un thème général, plus ou moins intemporel comme dans la poésie philosophique des *Hymnes,* par exemple, qui traitent de la mort, du ciel, de l'éternité, etc. Même alors, toutefois, sa tâche de poète ne se confond pas dans son esprit avec celle d'un chroniqueur ou d'un historiographe.

A partir d'événements qu'il évoque et qu'il dénonce, il pratique certes la satire et se livre à la polémique : c'est l'aspect le plus évident des *Discours,* le plus engagé dans l'histoire, non pas tant pour la décrire que pour la faire. Il n'est pas négligeable.

Mais l'ambition de Ronsard va plus loin : selon lui, l'histoire, dès qu'elle se fait poésie, doit présenter deux caractères essentiels. D'une part, être exemplaire :

> O toy historien, qui d'ancre non menteuse
> Escrits de nostre temps l'histoire monstrueuse,
> Raconte à nos enfans tout ce malheur fatal,
> Afin qu'en te lisant ils pleurent nostre mal,
> Et qu'ils prennent exemple aux pechés de leurs peres,
> De peur de ne tomber en pareilles miseres...

lit-on dans le *Discours des miseres de ce temps*. D'autre part, l'histoire ne prend son sens qu'au regard de l'éternité. Rien de ce qui se produit sur terre, fût-ce le fait le plus minime, ne survient jamais que par la volonté divine :

> J'ateste l'Eternel qui tout voit et regarde..

s'écrie Ronsard dans la *Responce*... Tout se place donc dans une perspective intemporelle qui ne laisse pas d'être inattendue à nos yeux quand il s'agit d'histoire !

Les conséquences de ces façons de voir sont multiples et importantes. Esthétiquement, elles confèrent au style de l'historien inspiré un ton prophétique et, selon les cas, une verve ou une grandeur qui n'ont pas grand-chose de commun avec l'impartialité qu'il nous plaît aujourd'hui de trouver dans les grands travaux d'histoire. Philosophiquement, elles impliquent une conception de l'histoire qui demeure religieuse. Sur ce point, les positions de Ronsard, conformes à celles de la plupart de ses contemporains, sont fort claires : l'ordre du monde, qui reflète la volonté divine, est celui qu'enseigne la contemplation de la nature ; il y a une loi, il y a une hiérarchie des êtres et des choses, et quiconque prétend y introduire une modification se fait fauteur de troubles et joue le jeu de Satan. Ronsard a exprimé tout cela dans une langue somptueuse quelques années plus tôt, dans l'*Hymne de la Justice* de 1555 :

> La nature a donné aux animaux des bois,
> Aux oyseaux, aux poissons, des reigles et des loix
> Qu'ilz n'outrepassent point : au monde on ne voit chose
> Qu'un tresfidelle accord ne gouverne et dispose :
> La Mer, le Ciel, la Terre, et chacun Element
> Garde une loy constante inviolablement :
> On ne voit que le jour devienne la nuict brune,
> Que le Soleil ardant se transforme en la Lune,
> Ou le Ciel en la Mer, et jamais on n'a veu
> L'Air devenir la Terre, et la Terre le Feu
> Nature venerable en qui prudence abonde
> A fait telle ordonnance en l'Ame de ce Monde,
> Qui ne se change point, et ne se changera,
> Tant que le Ciel vouté la Terre logera .

Et un peu plus bas, cette précision achevait de mettre les choses au point, s'il en était besoin :

> La Loy sert aux Citez et au peuple qui est
> Inconstant en pensée, et n'a jamais d'arrest :
> Il auroit aujourdhuy une opinion folle,
> Le l'endemain une autre, et comme un vent qui volle
> Çà et là voleroient les espritz des humains,
> Et jamais ne seroient en un propos certains,
> Sans la divine Loy, qui leurs volontez bride,
> Et, maugré leur desir, à bon chemin les guide. .

En matière politique ou religieuse aussi bien qu'en histoire, il ressort de tout cela que la variation, le muable, signalent toujours le mal, le périssable, l'imparfait. (Rappelons à ce propos que tel sera encore, à la fin du siècle suivant, l'argument de Bossuet dans son *Histoire des variations des églises protestantes*.) Dès lors, on voit combien l'exactitude du détail importe moins que la valeur didactique de l'ensemble, et combien il est logique de voir Ronsard recourir aux armes que lui offre la poésie pour assurer à ses poèmes l'efficacité désirée : l'allégorie (celle de l'Opinion dans le *Discours des miseres...*), la prosopopée (celle de la France dans la *Continuation du discours...*), par exemple, lui servent à désactualiser les faits qu'il évoque en les douant d'une valeur symbolique, atemporelle et mythique. Plus que l'apparence parfois trompeuse des faits, compte leur vérité profonde.

Prenons un exemple précis, portant sur l'un des forfaits que Ronsard reproche le plus constamment aux huguenots : les destructions d'églises. On lit dans le *Discours des miseres... :*

> On a fait des lieux saincts une horrible voerie,
> Un assassinement, et une pillerie :
> Si bien que Dieu n'est seur en sa propre maison
> Au ciel est revollée, et Justice, et Raison,
> Et en leur place helas ! regne le brigandage,
> La force, les cousteaux, le sang et le carnage.

Ronsard commence par une généralisation dans les deux premiers vers. Quels sont les « lieux saincts » dont il est question ? Nulle part, le *Discours* ne le précise. Ce qui est net, en revanche, c'est l'énormité des crimes commis. Au troisième vers, leur condamnation est radicale : ces gens qui prétendent réformer l'Église molestent Dieu lui-même. Au vers suivant, l'interprétation allégorique suggère un passé à la fois relativement proche et irrémédiablement perdu : cet âge d'or où Raison et Justice régnaient sur terre, c'est celui du mythe ancien, mais c'est aussi celui où la chrétienté ne se déchirait pas parce que les brigands de la Réforme ne perturbaient pas encore l'ordre divin. Façon de suggérer, dans les deux derniers vers, que les protestants ont instauré sur terre le règne du mal absolu !

On est donc passé d'une constatation imprécise, mais conforme à une réalité historique (le pillage des sanctuaires), à une condamnation exemplaire, à valeur religieuse et mythique. La démonstration est effectuée : c'est par essence et non par accident que les réformés sont mauvais.

L'histoire dans *Les Discours* ne se réduit donc jamais à un récit narrant un fait. Il s'agit de dévoiler une vérité plus ou moins dissimulée, à partir des signes que sont les événements historiques. Poésie prophétique, dont se souviendra quelques années plus tard l'auteur des *Tragiques*.

LES DISCOURS : LEUR ORIGINALITÉ

Il n'en reste pas moins que nous avons quelque peine à ne pas juger paradoxale cette façon de traiter l'actualité la plus brûlante et la plus immédiate pour l'intégrer à une vision atemporelle des choses et du monde. De la part de Ronsard, cela trahit une double préoccupation : l'une, éthique, parce que dans son esprit, il n'est pas de sagesse liée à la contingence ; l'autre, à la fois poétique et métaphysique, parce que le poète aspire à l'immortalité. Pour lui, la gloire compte infiniment plus que l'histoire. Ne donne-t-il pas, dans l'*Institution...*, ces conseils au jeune roi Charles IX :

> Soyés comme un bon prince amoureux de la gloire,
> Et faites que de vous se remplisse *une histoire*
> *Du temps victorieux, vous faisant immortel..*

Ce passage du contingent à l'éternel, du muable au durable, trouve un écho dans une autre association à laquelle procède Ronsard dans ses *Discours*. Mais cette fois, il s'agit d'une innovation d'ordre stylistique, dont les conséquences ne sont pas insignifiantes.

Sans entrer dans le détail, rappelons que les critères esthétiques de la Pléiade, ceux de Ronsard, ceux de tous les poètes du XVIe siècle, ne sont pas les nôtres [19] : on ne cherche pas l'inouï, on ne plonge pas au fond de l'inconnu pour trouver du nouveau, on n'essaie pas de dire ce qui ne l'a jamais été, on n'aime pas ce que jamais on ne verra deux fois. Au contraire. On imite. On marche dans les pas des grands Anciens ou de modèles plus récents mais aussi prestigieux. On essaie de faire aussi bien, ou mieux s'il est possible. Tout cela est désormais bien connu et la critique a renoncé depuis longtemps à apprécier la poésie du XVIe siècle en fonction de critères anachroniques hérités du romantisme ou du positivisme : au demeurant, c'est là une vaste question qui déborde largement la seule poésie des *Discours* [20].

Le lecteur de la seconde moitié du XVIe siècle, celui à qui s'adresse Ronsard du moins, est donc un homme cultivé, dont le paysage intérieur n'est certes pas celui du lecteur moderne, un homme qui aime à retrouver dans les vers qu'on lui propose le souvenir et l'écho d'autres vers qui les ont plus ou moins inspirés, un lecteur enfin capable de se livrer aux plaisirs difficiles et subtils de la comparaison. Pour cet homme-là, ce qui fait la valeur et l'originalité du grand poète, c'est en quelque sorte de réussir à composer des vers nouveaux et une nouvelle musique en reprenant des procédés, des images, des « traits de vers » comme on dit alors, déjà connus et reconnaissables. De façon raffinée, le poète compte donc sur l'attente d'un amateur qu'il va satisfaire ou surprendre, et il joue en maître — surtout quand ce poète est Ronsard — des ressources que lui fournissent l'imitation, la tradition, la convention, pour suggérer ce qu'il n'aura nul besoin de préciser.

En voici un exemple. Dans la *Responce*, le poète décrit

sa journée [21]. On est en pleine polémique, et soudain, on dirait que tout s'apaise. Il s'agit pour Ronsard de prouver qu'il est un parfait honnête homme. Comment s'y prend-il ? En recourant à quelques lieux communs et à un bon nombre de clichés. Il vit à la campagne : c'est un fait, mais poétiquement, c'est un motif traditionnel, celui de la vie aux champs, foisonnant dans la poésie du siècle, qu'on trouve toujours associé à l'idée d'innocence. Par cette évocation de sa vie quotidienne, dont on pourrait penser qu'elle forme comme une trêve dans la dispute, Ronsard suggère très efficacement sa propre bonté et sa propre vertu. Et, du même coup, il dessine implicitement toute une série d'oppositions entre lui-même et son adversaire le prédicant : l'un est bon, l'autre est mauvais ; l'un est innocent, l'autre, puisqu'il est différent, est nécessairement coupable ; Ronsard est un héros champêtre, mais de bonne race, et ses divertissements sont ceux d'un gentilhomme : ce n'est point un manant — ou un prédicant — qui pourrait écrire ce vers : « Je voltige, ou je saute, ou je lutte, ou j'escrime » ; il s'est éloigné du monde et du bruit, c'est-à-dire de la corruption et de la « feintise » que représentent toujours la ville, la cour et les endroits trop fréquentés, tandis que l'autre ignore ces lieux idylliques et quasiment édéniques de la vertu préservée ainsi que tout ce qu'ils impliquent.

Mais dans la poésie que compose habituellement Ronsard, mots, expressions, images, rimes ne sont pas seuls à relever de la convention : les situations elles-mêmes correspondent à une vision plus ou moins traditionnelle — du moins, à en juger superficiellement, car une étude plus précise montre en général combien le Vendômois enrichit et transforme les thèmes qu'il reprend.

Ici, la situation évoquée est nouvelle, même si elle n'est pas sans précédent. C'est la guerre civile, religieuse, meurtrière, qui se déchaîne dans des circonstances précises et datées. Il s'agit donc de faits résolument actuels, dramatiques et, on l'espère, passagers. Cet espoir, Ronsard ne se fait pas faute de l'exprimer, parfois de la manière la plus brutale, la plus déraisonnable et la moins probable, quand il imagine par exemple la fin des guerres. Ce n'est pas la réconciliation que prônent les derniers vers de la *Responce...*, mais la disparition pure et simple de la « secte » hérétique :

> Et relisant ces vers, je te pry' de penser
> Qu'en Saxe je l'ay veue en mes jours commencer
> [... .. ..]
> Le feu, le sang, le fer en sont le fondement,
> Dieu vueille que la fin en arrive autrement,
> Et que le grand flambeau de la guerre alumée,
> Comme un tyzon de feu se consume en fumée.

Les procédés d'expression, de « mythification », demeurent ceux dont nous avons parlé. Ils tendent à réduire l'écart qui sépare la qualité poétique du langage et le caractère implacable et terrible de la réalité du moment. Mais le contraste demeure sensible et c'est lui qui, pour une large part, confère aux *Discours* leur tonalité incontestablement originale. Le lecteur perçoit entre la matière et la manière de ces poèmes comme une faille, symbole peut-être de la rupture profonde qui déchire le XVIe siècle en créant du même coup les temps modernes, et dont la Réforme n'est qu'une des manifestations les plus visibles. Tous les arguments de Ronsard, tous ses raisonnements, toutes ses images, ses procédés, sont en effet représentatifs d'un monde, d'une forme de culture et de pensée, qu'il sent menacés. Pour lui qui considère, comme bon nombre de ses contemporains, que le bien c'est la fidélité, le respect de l'ordre ancien, à la limite l'immobilité et le repos, et que le changement représente le mal, on imagine le scandale qu'est très profondément la Réforme, coupable d'*innover* :

> Heureux les peres vieulx des bons siecles passez,
> Qui sont *sans varier* en leur foy trepassez,
> [. . .   ..]

> Mais *sans rien innover* au service divin,
> Ont vescu longuement, puis d'une fin heureuse
> En Jesus ont rendu leur ame genereuse...
> *(Elegie sur les troubles d'Amboise)*

Or, au moment où il écrit, le combat n'est encore ni gagné ni perdu. Et s'il est évident qu'en France, à considérer les choses dans leur résultat le plus proche et d'un point de vue strictement politique ou religieux, les réformés finiront par perdre la partie, il n'est pas certain qu'à plus long terme, la Réforme, ou du moins l'esprit de la Réforme, ne l'ait pas gagnée.

C'est peut-être ce que le prophétique Ronsard avait confusément pressenti, en décrivant à sa manière le combat entre l'ancien et le nouveau : c'est-à-dire en s'efforçant de dominer et d'endiguer par un style poétique dont les modèles, hérités de la tradition, venaient du passé, le déchaînement des forces qui non seulement produisaient alors la violence et la guerre, mais enfantaient une vision de l'univers et une conception de l'existence dont allait sortir notre monde actuel.

LES DERNIERS VERS

Nous publions *Les Derniers Vers* à la suite des *Discours*. Pourquoi les proposer ici ? Pour une raison matérielle d'abord : c'est que, hormis dans les éditions d'œuvres complètes, la plupart du temps on ne donne pas l'ensemble des *Derniers Vers* mais seulement quelques sonnets. Il nous a semblé que cette publication, en permettant de lire *in extenso* ce bref recueil, pourrait rendre service. La deuxième raison est d'un tout autre ordre : Ronsard, poète des amours, des bocages, des « folastries », des frivolités mondaines, est aussi — nous le rappelions en commençant — un poète grave, mélancolique, hanté par la fuite du temps et possédé d'une passion qu'il considère comme sacrée : celle des Muses. Dans sa production, *Les Discours* appartiennent à ce registre grave. Ce ton, cette noblesse, on les retrouve certes ailleurs, et en particulier dans des recueils assez importants pour justifier des publications séparées (par exemple les *Hymnes,* certains groupes de *Poëmes* philosophiques auxquels on s'intéresse de plus en plus comme *Le Chat, L'Ombre du cheval,* etc.). Dans cet ensemble de pièces graves, *Les Derniers Vers,* en dépit de leur minceur, méritent une place particulière. Poèmes de la mort, du regard tourné vers soi-même et vers l'ultime destination, il peut être intéressant de les comparer ou de les opposer à ces poèmes de la mort et de la guerre, c'est-à-dire à ce regard tourné vers le monde et vers l'histoire que sont pour une large part *Les Discours*.

En effet, Ronsard a souvent parlé de la mort : mort un peu lointaine, un peu abstraite dans certains grands poèmes philosophiques comme l'*Hymne de la Mort ;* mort légère et presque souriante dans d'autres poèmes évoquant la disparition d'êtres jeunes (« Comme on voit sur la branche au mois de Mai la rose... ») ; mort hideuse et haineuse des guerres civiles. Dans tous ces cas, il s'agit de la mort des autres. Ronsard, se regardant, évoquait plus volontiers sa vieillesse, sa décrépitude, venue très tôt si l'on en croit par exemple ces deux vers de 1556 :

> J'ay les yeux tous battus, la face toute palle,
> Le chef grison et chauve, et si n'ay que trente ans [22].

Contrairement à tant de poètes de la fin du siècle, il n'a guère parlé de sa propre mort. Toutefois, chose étonnante, il l'a vu venir, impitoyable, et l'a en quelque sorte accueillie avec une lucidité implacable et une horreur mal résignée. En pleine possession de ses moyens, un poète a chanté le déclin du moribond qu'il était devenu !

Deux mois après son décès, le jour même où Paris célébrait sa mémoire dans une cérémonie grandiose au collège de Boncourt, alors que du Perron prononçait sa magnifique oraison funèbre :

> ... Somme, par tout il a esté superieur aux autres, et par tout il a esté égal à luy-mesme. Il s'est bien veu aux siecles passez des hommes excellens en un genre de poësie, mais qui ayent embrassé toutes les parties de la poësie ensemble, comme cestuy-cy a fait, il ne s'en est point veu jusques à maintenant. .

ce même jour, on publiait à Paris une mince plaquette intitulée *Les Derniers Vers de Pierre de Ronsard :* des stances, six sonnets, deux épitaphes. Jamais peut-être d'aussi beaux vers n'ont décrit la mort vue de si près. Jamais on n'a dénoncé de façon plus saisissante l'horreur insupportable, l'approche inexorable de la Camarde, précédée du cortège sinistre des maladies et des souffrances.

La renonciation au monde, prononcée de façon si déchirante par le moribond, si elle se veut et si elle est sincère, l'espoir en l'au-delà même, peuvent sembler plus résignés que convaincus.

Ronsard poète baroque dans ses *Derniers Vers ?* Si le baroquisme consiste à dire l'étrangeté et l'incertitude du monde : certes oui. Mais s'il prescrit d'aspirer, comme Sponde, comme Chassignet, comme tant d'autres, à l'immutabilité ultime, à l'oubli du monde afin de mieux se perdre en l'éternité, alors on peut douter que chez Ronsard, pareille espérance équilibre tout à fait le regret poignant d'un monde où brillait notre « plaisant soleil ». Infirmité de la créature, misère de l'homme ? C'est tout cela, dans sa fragilité, dans sa dislocation et dans sa disparition, que jusqu'à son dernier souffle chante encore le moribond :

> Mon corps s'en va descendre où tout se désassemble...

Il ne s'agit pas de faire de Ronsard l'incrédule ou l'esprit fort qu'il n'était certainement pas. Mais combien nous touche cette voix magnifique qui, mieux que personne peut-être, a su dire la difficulté d'être homme aussi bien que la tristesse de devoir cesser de l'être.

NOTRE ÉDITION

Pour *Les Derniers Vers,* aucun problème : ce mince recueil a été édité en plaquette, posthume, et il n'a jamais été intégré à aucun recueil ni, bien entendu, jamais soumis à aucun remaniement de la part de son auteur. Nous reprenons le texte publié en février 1586.

Pour *Les Discours,* un choix s'imposait. A propos de la poésie de Ronsard, on a depuis longtemps renoncé à considérer comme la meilleure la dernière correction apportée par l'auteur à son œuvre, et bon nombre de « ronsardisants » estiment même que la première version est généralement la meilleure. Pasquier l'avait déjà dit dans ses *Recherches de la France* (VII, VI) :

> Grand Poëte entre les Poëtes, mais tres-mauvais juge et Aristarque de ses livres : [...] ne considerant que combienqu'il fust le pere, et par consequant estimoit avoir toute authorité sur ses compositions, si est-ce qu'il devoit penser qu'il n'appartient à une fascheuse vieillesse de juger des coups d'une gaillarde jeunesse.

Cet argument n'est pas le seul qui nous ait poussée à choisir le texte original. La querelle entre Ronsard et les protestants, et du même coup la polémique, c'est-à-dire le principal des *Discours,* datent de 1562 et 1563. Ne valait-il pas mieux lire le texte même qui avait joué son rôle dans le feu de la dispute ?

A partir de là, certaines pièces étant antérieures (les élégies de 1560), d'autres postérieures *(L'Hydre deffaict,* les *Prognostiques...)* aux dates de la querelle, il suffisait de les présenter dans l'ordre de leur publication. Pour chaque poème et pour chaque texte en prose, on trouvera en tête des notes qui s'y rapportent un mot d'explication sur son origine et éventuellement sur sa destination ultérieure dans l'œuvre de Ronsard, de même que sur ses changements de titre s'il y a lieu.

Restaient à régler deux questions.

Cette édition n'a pas de prétention savante, elle ne propose donc pas le relevé exhaustif de toutes les variantes introduites par Ronsard dans ses textes. On ne pouvait néanmoins les ignorer complètement. Nous nous sommes donc bornée à signaler en notes quelques-unes des principales. Le second point concernait les poèmes latins. Qu'ils soient de Ronsard (prétendument ou authentiquement : à ce propos, des doutes subsistent) ou qu'ils soient ouvertement d'un autre (ici une « grenouille du Léman » — comprenez un libelliste réformé — là Daurat), ces poèmes ont expressément fait partie des *Discours* à une date quelconque. Il serait donc inconsidéré de les retrancher sans autre procès. Toutefois, ils forment comme un corps un peu étranger, tout en ne représentant pas ce qu'il y a de meilleur dans le recueil. Nous les avons donc maintenus, mais en les rejetant dans le premier de nos trois Appendices ; des traductions et quelques explications rapides, en notes, aideront à les connaître et à les apprécier.

Nous avons ajouté, comme second Appendice, le texte de l'*Elegie à J. Grevin* de 1561 qui n'a jamais été réimprimée par Ronsard, parce qu'il nous a semblé qu'on aimerait voir comment, à cette date encore, le poète pouvait s'adresser à un ami huguenot, et comment il voyait et son travail poétique et lui-même. Évidemment, il est dommage de ne pas pouvoir offrir au lecteur toute une série de pièces (et elles sont assez nombreuses) où Ronsard parle de lui-même ou de poésie : le plus frappant, quand on pratique ces lectures étendues, c'est de constater la fidélité à soi-même de cet esprit « indiscret, fantastique », « content et non content ». Ici, nous offrons simplement un premier élément de cette comparaison.

Le troisième de nos Appendices reproduit des extraits, brefs étant donné l'ampleur de la polémique, des poèmes publiés contre Ronsard pendant les années cruciales 1562-1564. Nous en avons choisi deux, le premier qui parodie le *Discours des miseres...*, le second tiré d'une de ces « injures et calomnies » auxquelles riposte Ronsard dans sa *Responce...* Qui voudra en savoir plus pourra aisément se procurer ces textes grâce à l'excellente édition qu'en a donnée en 1973 Jacques Pineaux (*La Polémique protestante contre Ronsard :* voir Bibliographie).

La publication des DISCOURS

Chacune des pièces ayant fait partie des *Discours* du vivant de Ronsard est reproduite dans notre édition selon l'ordre chronologique de sa première publication. On en trouvera la liste complète dans la table des matières.

Avant 1567, la plupart de ces poèmes et de ces textes en prose ont été publiés séparément, en plaquettes ou incorporés à un autre recueil. Une brève mise au point, dans les notes, donne les renseignements nécessaires sur chacun.

A partir de 1567, Ronsard les insère dans les éditions collectives de ses *Œuvres* en les regroupant sous le titre général *Les Discours*. Cet ensemble constitue un tome (ou une partie) de l'œuvre complète et forme ainsi, à son tour, un nouveau recueil. On en trouvera ci-dessous la composition, variable selon les différentes éditions.

LES DISCOURS

DANS LES ÉDITIONS COLLECTIVES DES ŒUVRES DE 1567 À 1584

1567. 2e édition collective. Tome VI : *Les Discours*.

Ad Carolum Agenoreum (p. 203)
Discours des miseres de ce temps (p. 73)
Continuation du Discours des miseres de ce temps (p. 81)
Institution pour l'adolescence du roy. . Charles IX (p. 67)
Elegie à G. des Autels (p. 53)

1578. 5e édition collective. Tome VI : *Les Discours.*

Même répartition pour les douze premières pièces. Les *« elegies »* à des Autels et à des Masures deviennent simplement des *« discours ».* La pièce latine de Daurat est supprimée, et Ronsard ajoute ou redistribue après l'épigramme *P Ronsardi responsum* le sonnet qui n'est pas de lui et qui figurait dans l'*Epistre en prose :*

1584. 6e édition collective. VIIe partie : *Discours des miseres de ce temps.*

BIBLIOGRAPHIE

ÉDITIONS

Œuvres complètes, édit. par Paul Laumonier, achevée par Raymond Lebègue et Isidore Silver, Paris, STFM, 1914-1975, 20 vol. (édition chronologique de référence).

Œuvres complètes, édit. par Jean Céard, Daniel Ménager, Michel Simonin, Paris, Gallimard, Bibliothèque de la Pléiade, 1994, 2 vol. (dernier état des œuvres revues par Ronsard en 1584 ; renvois, pièce par pièce, aux volumes de l'éd. de P. Laumonier).

Discours des Misères de ce temps, par Jean Baillou, Paris, Les Belles-Lettres, 1949.

Discours des Misères de ce temps, par Francis Higman, Le Livre de poche classique, 1993.

Discours des Misères de ce temps, par Malcolm Smith, TLF, Droz, 1979.

RONSARD, SON ŒUVRE ET SON ÉPOQUE

BELLENGER (Yvonne) et al. (éd.), *Ronsard en son IVe centenaire*, 2 vol., Genève, Droz, 1988, 1989 ; THR 230 et 232.

DASSONVILLE (Michel), *Ronsard. Étude historique et littéraire*, 4 vol., Droz, 1968-1985.

GADOFFRE (Gilbert), *Ronsard par lui-même*, Paris, le Seuil, 1960.

GENDRE (André), *L'Esthétique de Ronsard*, SEDES, 1997.

JOUANNA (Arlette), *La France du XVIe siècle (1483-1598)*, PUF, 1996.

JOUANNA (Arlette) et al., *Histoire et dictionnaire des guerres de religion*, Robert Laffont, Bouquins, 1998.

LAVISSE (Ernest), *Histoire de France*, t. VI (1) par

J.-H. Maréjol, Paris, Hachette, 1904-1905.
MÉNAGER (Daniel), *Ronsard, le roi, le poète et les hommes* Genève, Droz, 1979.
RAYMOND (Marcel), *L'Influence de Ronsard sur la poési française (1550-1578)*, Paris, 1927 ; réimp. Genève, Droz 1965.
SILVER (Isidore), *The Intellectual Evolution of Ronsard*, Saint Louis, Washington University Press, 2 tomes, 1969 et 197
– *Three Ronsard Studies*, Genève, Droz, 1978.
SIMONIN (Michel), *Pierre de Ronsard*, Fayard, 1990.
WEBER (Henri), *La Création poétique au XVIe siècle e France*, Nizet, 1955.

POUR LIRE LES *DISCOURS*...

AULOTTE (Robert), « Ronsard et l'institution pour l'adolescenc de Charles IX », *French Renaissance Studies in honor o Isidore Silver*, éd. Frieda S. Brown, Kentucky, 1975.
BARBIER (Jean-Paul), *Bibliographie des Discours politiques d Ronsard*, THR 205 ; Genève, Droz.
BELLENGER (Yvonne), « À propos des *Discours* de Ronsard. Y a-t-il un genre du discours en vers ? », *La Notion de genr à la Renaissance*, édit. par Guy Demerson, Genève Slatkine, 1984.
BROWN (Frieda S.), « Interrelations between the political idea of Ronsard and Montaigne », *Romanic Review*, LVI, 1965
CHARBONNIER (François), *La Poésie française et les guerres d religion (1560-1574)*, Paris, 1919 ; reprint Slatkine, 1970.
CLOULAS (Ivan), *Catherine de Médicis*, Fayard, 1979.
CROSEY (Victoria), « Prophetic Discourse in Ronsard an d'Aubigné », *French Review*, 1971.
DASSONVILLE (Michel) (éd.), *Ronsard et Montaigne écrivain engagés ?*, Lexington, Kentucky, 1989.
DU BELLAY (Joachim), *Discours sur le sacre du treschrestie roy Francoys II*, éd. des *Œuvres poétiques* par Hen Chamard, t. VI (1), Paris, Droz, 1931.
HIGMAN (Francis), *La Diffusion de la Réforme en Franc 1520-1565*, Genève, Labor et Fides, 1992 – « Ronsard' political and polemical poetry », *Ronsard the Poet*, édit. p Terence Cave, Londres, Methuen, 1973.

LANGE (Michel), « Quelques sources probables des *Discours* de Ronsard », *Revue d'histoire littéraire de la France*, XX, 1913.

LANGER (Ulrich), « A Courtier's problematic defense : Ronsard's *Responce aux injures* », *Bibliothèque d'humanisme et Renaissance*, 46, 1984.

MARZOULI (Samir), « Poésie et versification dans les *Discours* de Ronsard », *Les Cahiers de Tunisie*, 1976.

MILLET (Olivier), « Conversion religieuse et imitation virgilienne : les deux *Eclogae* à Louis Des Masures », *Nouvelle Revue du XVIe siècle*, 4, 1986.

PASCHAL (Pierre de), *Journal de ce qui s'est passé en France durant l'année 1562*, édit. par Michel François, Paris, Didier, 1950.

PINEAUX (Jacques), *La Polémique protestante contre Ronsard*, 2 vol., Paris, Champion, 1927 ; ré-éd. Genève, Droz, 1965.

PY (Albert), *Ronsard*, Paris, Desclée de Brouwer, coll. « Les Écrivains devant Dieu », 1972.

SMITH (Malcolm), *Political and Religious Controversy in the Work of Ronsard, with special reference to the « Discours des Miseres »*, thèse, université de Londres, University College, 1967-1968.

TERREAUX (Louis), « Les Discours politiques de Ronsard : études de variantes », *Mélanges I, Silver*, 1974.

POUR LIRE LES *DERNIERS VERS*

BENSIMON (Marc), « Ronsard et la mort », *Moderne Language Review*, 1962.

BINET (Claude), *La Vie de Pierre de Ronsard*, éd. par P. Laumonier, Paris, Hachette, 1909.

COLLETET (Guillaume), *Pierre de Ronsard,* édit. par Franca Bevilacqua Caldari, Nizet, 1983.

DU BRUCK (Edelgard), *The Theme of Death in French Poetry of the Middle Ages and the Renaissance*, La Haye, Mouton, 1964.

DU PERRON (Jacques Davy), *Oraison funèbre sur la mort de Monsieur de Ronsard*, édit. par Michel Simonin, Genève, Droz, 1985.

LANGER (Ulrich), *Invention, Death and Self-Definition in the poetry of Ronsard*, ANMA Libri, Sratoga, Califorie, 1986.

LEINER (Wolfgang), « Ronsard et Chassignet devant le spectacle de la Mort. Étude comparative de deux sonnets », *Kentucky Romance Quarterly*, XXII, 1975.

MOURGUES (Odette de), « Ronsard's Later Poetry », *Ronsard the Poet*, Londres, 1974.

ROUSSET (Jean), *La Littérature de l'âge baroque. Circé et le Paon*, Paris, Corti, 1953.

WEBER (Henri), « Autour du dernier sonnet de Ronsard : de la vieillesse à la mort, du cygne au signe », *Mélanges I, Silver* 1974.

WHITNEY (Mark S.), « Choice and Ambiguity in Ronsard's *Derniers Vers* », *Romance Notes*, 1971.

UN DISQUE

Tombeau de Ronsard, Calliope CAL 1885, diffusion Harmonia Mundi, enregistrement Arpège 1985, par Jacques Herbillon (baryton), Jeffrey Grice (piano), Luc Urbain (flûte) : le premier morceau de cette anthologie est la mise en musique de « Ronsard à son âme » par Maurice Ravel ; par ailleurs mélodies de Honneger, Poulenc et Saint-Saëns.

LA LANGUE

BRUNOT (Ferdinand), *Histoire de la langue française*, t. II, réimp. avec bibliographie et notes complémentaires par Hélène Naïs, Paris, Armand Colin, 1967.

CREORE (A.E.), *A Word-Index to the Poetic of Ronsard*, Leeds, Marrey, 2 vol., 1972.

GREIMAS (Algirdas Julien) et KEANE (Teresa Mary), *Dictionnaire du moyen français, la Renaissance*, Larousse, 1992 (de consultation).

HUGUET (Emond), *Dictionnaire de la langue française*, Paris, Champion puis Didier, 7 vol., 1925-1967 (de référence).

GOUGENHEIM (Georges), *Grammaire de la langue française du XVIe siècle*, nouvelle éd. posthume, Paris, Picard, 1974.

MATORE (Guy), *Le Vocabulaire de la langue du XVIe siècle*, PUF, 1988.

MELLERIO (L.), *Lexique de Ronsard*, Paris, Plon, 1895.

LES DISCOURS

I

ELEGIE SUR LES TROUBLES D'AMBOISE (1560)

A GUILLAUME DES AUTELS GENTILHOMME CHARROLOIS

Des Autelz, que la loy, et que la rethoricque
Et la Muse cherist comme son filz unicque,
Je suis esmerveillé que les grandz de la Court
4 (Veu le temps orageux qui par l'Europe court)
Ne s'arment les costez d'hommes qui ont puissance
Comme toy de plaider leurs causes en la France,
Et revenger d'un art par toy renouvellé
8 Le sceptre que le peuple a par terre foulé [1].
Ce n'est pas aujourd'huy que les Rois et les Princes
Ont besoing de garder par armes leurs provinces,
Il ne faut acheter ny canons, ny harnois,
12 Mais il fault les garder seulement par la voix,
Qui pourra dextrement de la tourbe mutine
Appaiser le courage et flatter la poictrine:
Car il fault desormais deffendre noz maisons,
16 Non par le fer trenchant mais par vives raisons,
Et courageusement noz ennemis abbatre
Par les mesmes bastons dont ils nous veullent battre.
Ainsi que l'ennemy par livres a seduict
20 Le peuple devoyé qui faucement le suit,
Il fault en disputant par livres le confondre,
Par livres l'assaillir, par livres luy respondre [2],

Sans monstrer au besoing noz courages failliz,
24 Mais plus fort resister plus serons assailliz.
 Si ne voy-je pourtant personne qui se pousse
Sur le haut de la breche et l'ennemy repousse,
Qui brave nous assault, et personne ne prend
28 La picque, et le rempart brusquement ne deffend :
Les peuples ont recours à la bonté celeste,
Et par priere à Dieu recommandent le reste,
Et sans jouer des mains demeurent ocieux :
32 Cependant les mutins se font victorieux.
 Carles [3] et toy et moy, seulz entre cent mille hommes
Que la France nourrist, opposez nous y sommes,
Et faisant de nous trois paroistre la vertu,
36 D'un magnanime cueur nous avons combatu,
Descouvrant l'estomac aux playes honorables,
Pour soustenir l'Église, et ses loix venerables,
Et celles du païs auquel nous sommes nez,
40 Et pour l'ayde duquel nous sommes ordonnez.
 Durant la guerre à Troye, à l'heure que la Grece
Pressoit contre les murs la Troyenne jeunesse,
Et que le grand Achille empeschoit les ruisseaux
44 De porter à Thetis le tribut de leurs eaux [4],
Ceux qui estoyent dedans la muraille assiegée,
Ceux qui estoyent dehors dans le port de Sigée [5],
Failloyent egallement : mon Desautels, ainsi
48 Noz ennemis font faulte et nous faillons aussy.
 Ils faillent de vouloir renverser nostre empire,
Et de vouloir par force aux Princes contredire,
Et de presumer trop de leur sens orgueilleux,
52 Et par songes nouveaux forcer la loy des vieulx :
Ils faillent de laisser le chemin de leurs peres,
Pour ensuyvre le train des sectes etrangeres :
Ilz faillent de semer libelles et placars,
56 Plains de derisions, d'envye, et de brocars,
Diffamans les plus grandz de nostre court Royalle,
Qui ne servent de rien qu'à nourrir un scandale :
Ils faillent de penser que tous soyent aveuglez,

60 Que seulz ils ont des yeux, que seulz ils sont reiglez,
Et que nous forvoyez ensuyvons la doctrine
Humaine et corrompue, et non pas la divine:
Ilz faillent de penser qu'à Luther seulement
64 Dieu se soit apparu, et generalement
Que depuis neuf cens ans l'Église est depravée,
Du vin d'ipochrisie à longs traictz abreuvée,
Et que le seul escrit d'un Bucere vaut mieux,
68 D'un Zvingle, ou d'un Calvin (hommes seditieux)[6],
Que l'accord de l'Église, et les statuz de mille
Docteurs, poussez de Dieu, convocquez au concile[7]:
Que faudroit-il de Dieu desormais esperer,
72 Sy luy doux et clement avait soufert errer
Sy long temps son Église? Est-il autheur de faute?
Quel gain en reviendroit à sa majesté haute?
Quel honneur, quel profict de s'estre tant celé
76 Pour s'estre à un Luther seulement revelé?
Or nous faillons aussi, car depuis sainct Gregoire
Nul pape (dont le nom soit escrit en histoire)
En chaire ne prescha: et faillons d'autre part
80 Que le bien de l'Église aux enfans se depart.
Il ne faut s'estonner, Chrestiens, sy la nacelle
Du bon pasteur sainct Pierre en ce monde chancele,
Puis que les ignorans, les enfans de quinze ans,
84 Je ne scay quelz muguetz, je ne scay quels plaisans
Tiennent le gouvernal, puis que les benefices
Se vendent par argent, ainsi que les offices[8].
Mais que diroit sainct Paul, s'il revenoit icy,
88 De noz jeunes prelatz, qui n'ont poinct de soucy
De leur pauvre troupeau, dont ils prennent la laine,
Et quelque fois le cuir: qui tous vivent sans peine,
Sans prescher, sans prier, sans bon exemple d'eux,
92 Parfumez, decoupez[9], courtizans, amoureux,
Veneurs, et fauconniers, et avecq' la paillarde
Perdent les biens de Dieu, dont ilz n'ont que la garde.
Que diroit il de veoir l'Église à Jesuschrist,
96 Qui fut jadis fondée en humblesse d'esprit,

En toute patience, en toute obeissance,
Sans argent, sans credit, sans force, ny puissance,
Pauvre, nue, exilée, ayant jusques aux os
100 Les coups de fouetz sanglans imprimez sur le doz,
Et la voir aujourd'huy riche, grasse, et hautaine,
Toute pleine d'escuz, de rentes, et dommaine?
Ses ministres enflez, et ses Papes encor,
104 Pompeusement vestuz de soye et de drap d'or?
Il se repentiroit d'avoir soufert pour elle
Tant de coupz de baston, tant de peine cruelle,
Tant de bannissemens, et voyant tel mechef
108 Priroit qu'un traict de feu luy accablast le chef.
Il fault donc corriger de nostre saincte Église
Cent mille abuz commis par l'avare prestrise,
De peur que le courroux du Seigneur tout puissant
112 N'aylle avecques le feu noz fautes punissant.
Quelle fureur nouvelle a corrompu nostre aise?
Las! des Lutheriens la cause est tresmauvaise,
Et la deffendent bien: et par malheur fatal
116 La nostre est bonne et saincte, et la deffendons mal.
O heureuse la gent que la mort fortunée
Ha depuis neuf cens ans soubs la tombe emmenée!
Heureux les peres vieulx des bons siecles passez,
120 Qui sont sans varier en leur foy trepassez,
Ains que de tant d'abuz l'Église fust malade [10]:
Qui n'ouyrent jamais parler d'Œcolampade [11],
De Zvingle, de Bucer, de Luther, de Calvin,
124 Mais sans rien innover au service divin,
Ont vescu longuement, puis d'une fin heureuse
En Jesus ont rendu leur ame genereuse.
Las! pauvre France, helas! comme une opinion [12]
128 Diverse a corrompu ta premiere union!
Tes enfans, qui devroyent te garder, te travaillent,
Et pour un poil de bouc [13] entre eulx mesmes bataillent,
Et comme reprouvez, d'un courage meschant
132 Contre ton estomac tournent le fer tranchant!
N'avions nous pas assez engressé la campaigne

De Flandres, de Piedmont, de Naples, et d'Espaigne [14]
En nostre propre sang, sans tourner les cousteaux
136 Contre toy, nostre mere, et tes propres boyaux?
A fin que du grand Turc les peuples infidelles
Rissent en nous voyant sanglans de noz querelles?
Et, en lieu qu'on les deust par armes surmonter,
140 Nous vissent de nos mains nous mesmes nous donter,
Ou par l'ire de Dieu, ou par la destinée
Qui te rend par les tiens, ô France, exterminée?
Las! fault il, ô destin, que le sceptre François,
144 Que le fier Allemant, l'Espagnol, et l'Anglois
N'a sceu jamais froisser, tombe soubs la puissance
Du peuple qui devroit luy rendre obeïssance?
Sceptre qui fut jadis tant craint de toutes pars,
148 Qui jadis envoya outre mer ses soldars
Gaigner la Palestine, et toute l'Idumée,
Tyr, Sydon, Antioche, et la ville nommée
Du sainct nom [15], où Jesus, en la croix attaché,
152 De son precieux sang lava nostre peché:
Sceptre qui fut jadis la terreur des Barbares,
Des Turcs, des Mammelus [16], des Perses et Tartares,
Bref, par tout l'univers tant craint et redouté,
156 Fault il que par les siens luy mesme soit donté!
France, de ton malheur tu es cause en partie,
Je t'en ay par mes vers mille fois advertye,
Tu es marastre aux tiens, et mere aux estrangers,
160 Qui se mocquent de toy quand tu es aux dangers:
Car la plus grande part des estrangers obtiennent
Les biens qui à tes fils justement appartiennent.
Pour exemple te soit ce docte Des Autelz,
164 Qui à ton los a faict des livres immortels,
Qui poursuyvoit en court des long temps une affaire,
De bien peu de valleur, et ne la pouvoit faire
Sans ce bon Cardinal, qui rompant le sejour
168 Le renvoia content en l'espace d'un jour [17].
Voila comme des tiens tu fais bien peu de conte,
Dont tu devrois au front toute rougir de honte.

Tu te mocques aussi des profetes que Dieu
172 Choisit en tes enfans, et les fait au meillieu
De ton sein apparoistre, à fin de te predire
Ton malheur advenir, mais tu n'en fais que rire.
Ou soit que du grand Dieu l'immense eternité
176 Ait de Nostradamus l'entousiasme excité,
Ou soit que le daimon bon ou mauvais l'agite,
Ou soit que de nature il ayt l'ame subite,
Et outre le mortel s'eslance jusqu'aux cieulx,
180 Et de là nous redit des faicts prodigieux :
Ou soit que son esprit sombre et melancolique,
D'humeurs grasses repeu, le rende fantastique,
Bref, il est ce qu'il est : si est ce toutesfois
184 Que par les mots douteux de sa profette voix,
Comme un oracle anticque, il a des mainte année
Predit la plus grand part de nostre destinée.
Je ne l'eusse pas creu, si le ciel, qui depart
188 Bien et mal aux humains, n'eust esté de sa part [18] :
Certainement le ciel, marry de la ruine
D'un sceptre si gaillard, en a monstré le signe :
Depuis un an entier n'a cessé de pleurer :
192 On a veu la comette ardente demeurer
Droict sur nostre païs : et du ciel descendante
Tomber à Sainct Germain une collonne ardente :
Nostre Prince au meillieu de ses plaisirs est mort [19] :
196 Et son filz, jeune d'ans, a soustenu l'efort
De ses propres sujects, et la chambre honorée
De son palais Royal ne luy fut asseurée.
Doncques, ny les haults faicts des Princes ses ayeux,
200 Ny tant de temples saincts eslevez jusqu'aux cieulx
Par ses peres bastis, ny sa terre puissante,
Aux guerres furieuse, aux lettres fleurissante,
Ny sa propre vertu, bonté et piété,
204 Ny ses ans bien apris en toute honnesteté,
Ny la devotion, la foy, ny la priere
De sa femme pudicque, et de sa chaste mere [20],
N'ont envers le destin tant de graces trouvé,

208 Que malheur si nouveau ne luy soit arrivé,
Et que l'air infecté du terroy Saxonicque
N'ait empuenty l'air de sa terre Gallicque[21].
Que si des Guysians[22] le couraige haultain
212 N'eust au besoing esté nostre rempart certain,
Voire et si tant soit peu leur ame genereuse
Se fust alors monstrée ou tardive, ou poureuse,
C'estoit faict que du sceptre, et la contagion
216 De Luther eust gasté nostre religion :
Mais François d'une part, tout seul avecq' les armes
Opposa sa poictrine à si chaudes alarmes,
Et Charles d'autre part, avecq' devotions
220 Et sermons, s'opposa à leurs seditions,
Et par sa prevoyance et doctrine severe
Par le peuple engarda de plus courir l'ulcere.
Ils ont maugré l'envye, et maugré le destin,
224 Et l'infidelle foy du vulgaire mutin,
A l'envy combatu la troupe sacrilege,
Et la religion ont remise en son siege.
O Seigneur tout puissant ! pour loyer des bienfaicts
228 Que ces Princes Lorreins au besoing nous ont faicts,
Et si mes humbles vœus trouvent devant ta face
Quelque peu de credit, je te supply de grace,
Que ces deux Guysians, qui pour l'amour de toy
232 Ont ramassé l'honneur de nostre antique foy,
Fleurissent à jamais en faveur vers le Prince,
Et que jamais le bec des peuples ne les pince[23].
Donne àue les enfans des enfans yssus d'eux
236 Soyent aussi bons Chrestiens, et aussi vaillans qu'eux,
Plus grands que nulle envye : et qu'en paix eternelle
Ils puissent habiter leur maison paternelle.
Ou si quelque desastre, ou le cruel malheur
240 Les menace tous deux, jaloux de leur valeur,
Tourne sur les mutins la menace et l'injure,
Ou sur l'ignare chef du vulgaire parjure,
Ny digne du soleil, ny digne de tirer
244 L'air, qui nous faict la vie es poulmons respirer.

II

ELEGIE

A LOÏS DES MASURES (1560)

Comme celuy qui voit du haut d'une fenestre
Alentour de ses yeux un paisage champestre,
D'assiette different, de forme et de façon,
4 Icy une riviere, un rocher, un buisson
Se presente à ses yeux, et là s'y represente
Un tertre, une prerie, un taillis, une sente,
Un verger, une vigne, un jardin bien dressé,
8 Une ronce, une espine, un chardon herissé :
Et la part que son œil vagabond se transporte,
Il descouvre un païs de differente sorte,
De bon et de mauvais : Des Masures, ainsi
12 Celuy qui list les vers que j'ay portraicts icy
Regarde d'un traict d'œil meinte diverse chose,
Qui bonne et mauvaise entre en mon papier enclose.
Dieu seul ne faut jamais, les hommes voluntiers
16 Sont tousjours de nature imparfaicts et fautiers.
Mon livre [1] est resemblable à ces tables friandes
Qu'un Prince faict charger de diverses viandes :
Le maist qui plaist à l'un, à l'autre est desplaisant,
20 Ce qui est sucre à l'un, est à l'autre cuisant :
L'un ayme le sallé, l'autre ayme la chair fade,

L'un ayme le routy, l'autre ayme la sallade:
L'un ayme le vin fort, l'autre ayme le vin doux,
24 Et jamais le bancquet n'est aggreable à tous:
Le Prince toutesfois qui librement festie
Ne s'en offence point, car la plus grand partie
De ceux qui sont assis au festin sont allez
28 De franche volunté, sans y estre appellez.
Ainsi ny par edict, ny par statut publique
Je ne contraincts personne à mon vers poeticque,
Le lise qui voudra, l'achette qui voudra:
32 Celuy qui bien content de mon vers se tiendra
Me fera grand plaisir: s'il advient au contraire,
Masures, c'est tout un! je ne sçaurois qu'y faire.
Je m'estonne de ceulx de la nouvelle foy
36 Qui pour me hault louer disent tousjours de moy:
« Sy Ronsard ne cachoit son talent dedans terre,
Or parlant de l'amour, or parlant de la guerre,
Et qu'il voulust du tout chanter de Jesuchrist,
40 Il seroit tout parfaict, car il a bon esprit,
Mais Sathan l'a seduict, le pere des mensonges,
Qui ne luy fait chanter que fables et que songes. »
O pauvres abusez! que le cuider sçavoir [2]
44 Plus que toute l'Église, a laissé decevoir:
Tenez vous en vos peaux, et ne jugez personne,
Je suis ce que je suis, ma conscience est bonne,
Et Dieu, à qui le cœur des hommes apparoist,
48 Sonde ma volunté, et seul il la connoist.
O bien heureux Lorreins [3], que la secte Calvine,
Et l'erreur de la terre à la vostre voisine
Ne deprava jamais: d'où seroit animé
52 Un poussif Alemant, dans un poesle enfermé,
A bien interpreter les sainctes escriptures,
Entre les gobelets, les vins et les injures?
Y croye qui voudra, Amy, je te promets
56 Par ton bel Amphion [4] de n'y croire jamais.
L'autre jour en dormant (comme une vaine idole
Qui deça qui dela au gré du vent s'en volle)

M'aparut du Bellay [5] non pas tel qu'il estoit
60 Quand son vers doucereux les Princes arrestoit,
Et qu'il faisoit courir la France apres sa lyre,
Qui encore sur tous le pleint et le desire:
Mais have et descharné, planté sur de grands os.
64 Ses costes, sa carcasse, et l'espine du dos
Estoyent veufves de chair, et sa diserte bouche,
Où jadiz se logeoit la mielliere mouche,
Les Graces et Pithon [6], fut sans langue et sans dens,
68 Et ses yeux, qui estoyent si promps et si ardans
A voir dancer le bal des neuf doctes pucelles [7],
Estoyent sans blanc, sans noir, sans clarté ny prunelles,
Et sa teste, qui fut le Caballin coupeau [8],
72 Avoit le nez retraict, sans cheveux, et sans peau,
Point de forme d'oreille, et la creuse ouverture
De son ventre n'estoit que vers et pourriture.
Trois fois je le voulu en songes embrasser,
76 Et trois fois s'enfuyant ne se voulut laisser
Presser entre mes bras: et son umbre seulette
Volloit de place en place, ainsi qu'une allouette
Volle devant le chien, lequel la va suivant,
80 Et en pensant la prendre, il ne prent que du vent.
A la fin en ouvrant sa bouche morne et palle,
Fist sortir une voix comme d'une cygalle,
D'un petit gresillon, ou d'un petit poullet,
84 Quand bien loing de sa mere il pepie seullet.
Et me disoit: « Ronsard, que sans tache d'envye
J'aymé, quand je vivois, comme ma propre vie,
Qui premier me poussas et me formas la voix
88 A celebrer l'honneur du langage François,
Et compaignon d'un art, tu me monstras l'adresse
De me laver la bouche es ondes de Permesse:
Puis qu'il a pleu à Dieu me prendre devant toy,
92 Entends ceste leçon et la retiens de moy.
Crains Dieu sur toute chose, et jour et nuict medite
En la loy que son filz nous a laissée ecripte:
Ton esperance apres, et de corps et d'esprit,

96 Soit fermement fichée au sauveur Jesuchrist:
Obeis à ton Prince, et au bras de Justice,
Et fais à tes amis et plaisir et service:
Contente toy du tien [9], et ne sois desireux
100 De biens ny de faveurs, et tu seras heureux.
Quand au monde où tu es, ce n'est qu'une chimere,
Qui te sert de marastre en lieu de douce mere:
Tout y va par fortune et par opinion,
104 Et rien n'y est durable en parfaicte union.
Dieu ne change jamais: l'homme n'est que fumée
Qu'un petit traict de feu tient un jour allumée [10].
Bien heureux est celuy qui n'y vit longuement,
108 Et celuy qui sans nom vit si obscurement,
Qu'à peine est il congneu de ceux de son vilage,
Celuy, amy Ronsard, celuy est le plus sage.
Sy aux esprits des mors tu veux adjouster foy,
112 Qui ne sont plus menteurs, Ronsard, retires toy,
Vy seul en ta maison, et ja grison delaisse
A suivre plus la court, ta Circe enchanteresse.
Quand aux champs où je suis, nous sommes tous [egaux,
116 Les Manes des grands Rois et des hommes ruraux,
Des bouviers, des soldans et des princes d'Asie,
Errent egallement selon leur fantaisie,
Qui deça qui dela en plaisir s'esbattant
120 Va de verger en autre à son gré volletant,
Simple, gresle et leger, comme on voit les avettes
Voller parmy voz prez sur les jeunes fleurettes.
Entre Homere et Virgille, ainsi qu'un demy dieu,
124 Environné d'esprits, j'ay ma place au meillieu,
Et suis en la façon que m'a decrit Masures,
Aux champs Elisians, aymé des ames pures
Des vaillans demy-dieux, et du prince Henry [11],
128 Qui se cachant sa playe erre seul et marry,
Dequoy la dure Parque a sans pitié ravie
Tout d'un coup son repos, son plaisir et sa vie.
Et j'erre comme luy de tristesse blessé

132 Qui sans te dire à Dieu si tost je te laissé,
Et sans prendre congé de toute nostre bande [12],
A qui leur du Bellay par toy se recommande. »
Ainsi dit ceste idolle, et comme un pront esclair
136 Dans la nue se pert, se perdit dedans l'air.

III

INSTITUTION

POUR L'ADOLESCENCE DU ROY TRESCHRESTIEN CHARLES NEUFVIESME DE CE NOM (1562)

Sire, ce n'est pas tout que d'estre Roy de France,
Il faut que la vertu honore vostre enfance:
Car un Roy sans vertu porte le sceptre en vain,
4 Et luy sert de fardeau, qui luy charge la main:
Pource on dit que Thetis la femme de Pelée,
Apres avoir la peau de son enfant brulée
Pour le rendre immortel, le prist en son giron
8 Et de nuit l'emporta dans l'Antre de Chiron,
Chiron noble Centaure, à fin de luy aprendre
Les plus rares vertus dés sa jeunesse tendre,
Et de science et d'art son Achille honorer:
12 Car l'esprit d'un grand Roy ne doit rien ignorer.
Il ne doit seulement sçavoir l'art de la guerre,
De garder les cités, ou les ruer par terre,
De piquer les chevaux, ou contre son harnois
16 Recevoir mille coups de lances aux tournois:
De sçavoir comme il faut dresser une Embuscade,
Ou donner une Cargue, ou une Camisade,
Se renger en bataille, et soubs les estandars
20 Mettre par artifice en ordre ses soldars.

Les Roys les plus brutaulx telles choses n'ignorent,
Et par le sang versé leurs couronnes honorent :
Tout ainsi que Lyons, qui s'estiment alors
24 De tous les animaux estre veuz les plus fors,
Quand ils se sont repeuz d'un Cerf au grand corsage,
Et ont remply les champs de meurtre et de carnage.
Mais les princes Chrestiens n'estiment leur vertu
28 Proceder ny de sang ni de glaive pointu :
Ains par les beaux mestiers qui des Muses procedent,
Et qui de gravité tous les autres excedent [1] :
Quand les Muses qui sont filles de Jupiter
32 (Dont les Roys sont issus) les Roys daignent hanter,
Elles les font marcher en toute reverence :
Loing de leur magesté banissent l'ignorance,
Et tous remplis de grace et de divinité,
36 Les font parmy le peuple ordonner equité.
Ils deviennent apris en la mathematique,
En l'art de bien parler, en histoire et musique,
En physiognomie [2], à fin de mieux sçavoir
40 Juger de leurs subjects seulement à les voir.
Telle science sceut le jeune prince Achille,
Puis scavant et vaillant il fit mourir Troille [3]
Sur le champ Phrygien, et fit mourir encor
44 Le magnanime orgueil du furieux Hector,
Il tua Sarpedon, tua Pentasilée [4]
Et par luy la cité de Troye fut brulée.
Tel fut jadis Thesée, Hercules, et Jason,
48 Et tous les vaillans preux de l'antique saison.
Tel vous serez aussi, si la Parque cruelle
Ne tranche avant le temps vostre trame nouvelle :
Car Charles, vostre nom tant commun à nos Roys,
52 Nom du Ciel revenu en France par neuf fois,
Neuf fois nombre parfait, comme cil qui assemble
Pour sa perfection trois Triades ensemble [5],
Monstre que vous aurez l'Empire, et le renom
56 Des huict Charles passez dont vous portés le nom.
Mais pour vous faire tel, il faut de l'artifice

Et dés jeunesse aprendre à combattre le vice.
Il faut premierement aprendre à craindre Dieu
60 Dont vous estes l'ymage : et porter au milieu
De vostre cueur son nom, et sa saincte parolle,
Comme le seul secours dont l'homme se consolle.
Apres si vous voulés en terre prosperer,
64 Il vous faut vostre mere [6] humblement honorer,
La craindre et la servir, qui seulement de mere
Ne vous sert pas icy, mais de garde, et de pere.
Apres il fault tenir la loy de vos ayeulx,
68 Qui furent Roys en terre, et sont là hault aux cieux :
Et garder que le peuple imprime en sa cervelle
Les curieux discours d'une secte nouvelle [7].
Apres il fault apprendre à bien imaginer,
72 Autrement la raison ne pourroit gouverner :
Car tout le mal qui vient à l'homme prend naissance
Quand par sus la Raison le Cuider a puissance [8] :
Tout ainsi que le corps s'exerce en travaillant,
76 Il faut que la Raison s'exerce en bataillant
Contre la monstrueuse et faulse fantasie,
De peur que vainement l'ame n'en soit saisie.
Car ce n'est pas le tout de sçavoir la vertu,
80 Il faut cognoistre aussi le vice revestu
D'un habit vertueux, qui d'autant plus offence
Qu'il se monstre honorable, et a belle aparance.
De là vous aprendrés à vous cognoistre bien,
84 Et en vous cognoissant vous ferés toujours bien :
Le vray commencement pour en vertus acroistre,
C'est (disoit Apollon) soymesme se cognoistre [9].
Celuy qui se cognoist, est seul maistre de soy,
88 Et sans avoir Royaume il est vrayement un Roy.
Commencés donq ainsi : puis si tost que par l'age
Vous serés homme fait de corps, et de courage,
Il fauldra de vous-mesme aprendre à commander,
92 A oyr vos subjects, les voir, et demander,
Les cognoistre par nom, et leur faire justice,
Honorer la vertu et corriger le vice.

Malheureux sont les Roys qui fondent leur apuy
96 Sur l'ayde d'un commis : qui par les yeux d'autruy
Voyent l'estat du peuple, et oyent par l'oreille
D'un flateur mensonger qui leur conte merveille.
Tel Roy ne regne pas, ou bien il regne en peur
100 (D'autant qu'il ne sçait rien) d'offencer un flateur.
Mais (Sire) ou je me trompe en voyant vostre grace
Ou vous tiendrez d'un Roy la legitime place :
Vous ferés vostre charge, et comme un prince doux
104 Audience et faveur vous donnerez à tous.
Vostre palais Royal cognoistrez en presence :
Et ne commetrez point une petite offence :
Si un pilote faut, tant soit peu, sur la mer,
108 Il fera desoubs l'eau la navire abismer.
Aussi faillant un Roy tant soit peu, la province
Se perd, car volontiers le peuple suit son prince.
Aussi pour estre Roy vous ne devés penser
112 Vouloir comme un Tyran vos subjects offencer,
Car comme nostre corps, vostre corps est de boue [10] :
Des petits et des grands la fortune se joüe :
Tous les regnes mondains se font et se defont,
116 Et au gré de fortune ils viennent et s'en vont,
Et ne durent non plus qu'une flamme allumée
Qui soudain est esprise et soudain consumée.
Or, Sire, imités Dieu, lequel vous a donné
120 Le sceptre, et vous a fait un grand Roy couronné,
Faites misericorde à celuy qui supplie,
Punissés l'orgueilleux qui s'arme en sa follie,
Ne poussés par faveur un homme en dignité,
124 Mais choisissés celuy qui l'a bien merité.
Ne baillés pour argent ny estats, ny offices [11],
Ne donnés aux premiers [12] les vaccans benefices,
Ne souffrés pres de vous ne flateurs, ne vanteurs,
128 Fuyés ces plaisans fols qui ne sont que menteurs,
Et n'endurés jamais que les langues legeres
Mesdisent des Seigneurs des terres estrangeres.
Ne soyés point moqueur ny trop hault à la main [13],

132 Vous souvenant toujours que vous estes humain.
Ne pillez vos subjects par rançons ny par tailles,
Ne prenés sans raison ny guerres ny batailles,
Gardés le vostre propre [14], et vos biens amassés,
136 Car pour vivre content vous en avés assés.
S'il vous plaist vous garder sans archers de la garde,
Il faut que d'un bon œil le peuple vous regarde,
Qu'il vous ayme sans creinte, ainsi les puissans Roys
140 Ont gardé leur Empire, et non par le harnois.
Comme le corps Royal ayés l'ame Royalle,
Tirés le peuple à vous d'une main liberalle,
Et pensés que le mal le plus pernicieux
144 C'est un prince sordide et avaritieux.
Ayés autour de vous des personnes notables,
Et les oyés parler volontiers à vos tables,
Soyés leur auditeur comme fut vostre ayeul [15],
148 Ce grand François qui vit encores au cercueil.
Soyés comme un bon prince amoureux de la gloire,
Et faites que de vous se remplisse une histoire
Du temps victorieux, vous faisant immortel,
152 Comme Charles le Grand, ou bien Charles Martel.
Ne souffrés que les grands blessent le populaire,
Ne souffrés que le peuple au grand puisse desplaire,
Gouvernés vostre argent par sagesse et raison :
156 Le prince qui ne peut gouverner sa maison,
Sa femme, ses enfans, et son bien domestique,
Ne sçauroit gouverner une grand republique.
Pensés long temps devant que faire aucuns Edicts,
160 Mais si tost qu'ils seront devant le peuple mis,
Qu'ils soient pour tout jamais d'invincible puissance,
Car autrement vos loix sentiroient leur enfance.
Ne vous monstrés jamais pompeusement vestu,
164 L'habillement des Roys est la seule vertu :
Que votre corps reluise en vertus glorieuses,
Et non pas vos habits de perles precieuses.
D'amis plus que d'argent monstrés vous desireux,
168 Les Princes sans amis sont toujours malheureux.

Aymés les gens de bien, ayant toujours envie
De ressembler à ceux qui sont de bonne vie.
Punissés les malins et les seditieux :
172 Ne soyés point chagrin, despit, ne furieux,
Mais honeste et gaillard, portant sur le visage,
De vostre gentil'ame un gentil tesmoignage.
Or, Sire, pour autant que nul n'a le pouvoir
176 De chastier les Roys qui font mal leur devoir,
Punissés vous vous mesme, à fin que la Justice
De Dieu, qui est plus grand, vos fautes ne punisse.
Je dy ce puissant Dieu dont l'Empire est sans bout,
180 Qui de son trosne assis en la terre voit tout,
Et fait à un chascun ses justices égalles
Autant aux laboureurs qu'aux personnes Royalles :
Lequel je suppliray vous tenir en sa loy,
184 Et vous aymer autant qu'il fit David son Roy,
Et rendre comme à luy vostre sceptre tranquile :
Car sans l'ayde de Dieu la force est inutile.

IV

DISCOURS DES MISERES DE CE TEMPS (1562)

A LA ROYNE MERE DU ROY

Si, depuis que le monde a pris commencement,
Le vice d'age en age eust pris accroissement,
Il y a jà long temps que l'extreme malice
4 Eust surmonté le monde, et tout ne fut que vice.
Mais puis que nous voyons les hommes en tous lieux
Vivre, l'un vertueux, et l'autre vicieux,
Il nous fault confesser que le vice diforme
8 N'est pas victorieux : mais suit la mesme forme
Qu'il avoit dés le jour que l'homme fut vestu
(Ainsi que d'un habit) de vice et de vertu.
Ny mesme la vertu ne s'est point augmentée :
12 Si elle s'augmentoit sa force fut montée
Jusqu'au plus haut degré : et tout seroit icy
Vertueux et parfaict, ce qui n'est pas ainsi.
Or comme il plaist aux meurs, aux princes, et à l'age,
16 Quelque fois la vertu abonde davantage,
Et quelque fois le vice, et l'un en se haulsant
Va de son compagnon le credit rabaissant,
Puis il est rabaissé : afin que leur puissance
20 Ne preigne [1] dans ce monde une entiere accroissance.

Ainsi il plaist à Dieu de nous exerciter,
Et entre bien et mal laisse l'homme habiter,
Comme le marinier qui conduit son voyage
24 Ores par le beau temps, et ores par l'orage.
Vous (Royne) dont l'esprit prend plaisir quelque fois
De lire et d'escouter l'histoire des François
Vous sçavez en voyant tant de fais memorables
28 Que les siecles passez ne furent pas semblables.
Un tel Roy fut cruel, l'autre ne le fut pas,
L'ambition d'un tel causa mille debats.
Un tel fut ignorent, l'autre prudent et sage,
32 L'autre n'eut point de cueur, l'autre trop de courage.
Tels que furent les Roys, tels furent leurs subjects,
Car les Roys sont toujours des peuples les objects.
Il faut donq' des jeunesse instruire bien un prince
36 Afin qu'aveq prudence il tienne sa province.
Il faut premierement qu'il ait devant les yeux
La crainte d'un seul Dieu : qu'il soit devotieux
Envers la sainte Eglise, et que point il ne change
40 La foy de ses ayeulz pour en prendre une estrange [2].
Ainsi que nous voions instruire nostre Roy
Qui par vostre vertu n'a point changé de loy.
Las ! Madame, en ce temps que le cruel orage
44 Menace les François d'un si piteux naufrage,
Que la gresle et la pluye, et la fureur des cieux
Ont irrité la mer de vens seditieux,
Et que l'astre jumeau [3] ne daigne plus reluyre,
48 Prenez le gouvernail de ce pauvre navire,
Et maugré la tempeste, et le cruel efort
De la mer, et des vens, conduisez-le [4] à bon port.
La France à jointes mains vous en prie et reprie,
52 Las ! qui sera bien tost et proye et moquerie
Des princes estrangers, s'il ne vous plaist en bref
Par vostre autorité appaiser ce mechef.
Ha que diront là bas soubs les tombes poudreuses
56 De tant de vaillans Roys les ames genereuses !
Que dira Pharamond ! Clodion, et Clovis !

Nos Pepins! nos Martels! nos Charles, nos Loys!
Qui de leur propre sang versé parmy la guerre,
60 Ont acquis à nos Roys une si belle terre?
Que diront tant de Ducs, et tant d'hommes guerriers
Qui sont morts d'une playe au combat les premiers,
Et pour France ont souffert tant de labeurs extremes,
64 La voyant aujourd'huy destruite par nous mesmes?
Ils se repentiront d'avoir tant travaillé,
Querelé, combatu, guerroyé, bataillé
Pour un peuple mutin divisé de courage,
68 Qui pert en se jouant un si bel heritage:
Heritage opulent, que toy peuple qui bois
De l'Angloise Tamise, et toy More qui vois
Tomber le chariot du soleil sur ta teste,
72 Et toy, race Gottique, aux armes toujours preste,
Qui sens la froide bise en tes cheveux venter,
Par armes n'avés sceu ni froisser, ny domter.
Car tout ainsi qu'on voit une dure coignée
76 Moins reboucher son fer, plus est embesoignée
A couper, à trancher, et à fendre du bois,
Ainsi par le travail s'endurcist le François:
Lequel n'ayant trouvé qui par armes le domte
80 De son propre cousteau soymesmes se surmonte.
Ainsi le fier Ajax fut de soy le veinqueur,
De son propre cousteau se transperceant le cueur.
Ainsi Romme jadis des choses la merveille,
84 Qui depuis le rivage où le Soleil s'éveille
Jusques à l'autre bord son empire estendit,
Tournant le fer contre elle, à la fin se perdit[5].
C'est grand cas que nos yeux sont si plains d'une nue,
88 Qu'ils ne cognoissent pas nostre perte avenue,
Bien que les estrangers qui n'ont point d'amitié
A nostre nation en ont mesmes pitié.
Nous sommes accablés d'ignorance si forte,
92 Et liés d'un sommeil si paresseux, de sorte
Que nostre esprit ne sent le malheur qui nous poingt,
Et voyans nostre mal nous ne le voyons point.

Dés long temps les escrits des antiques prophetes[6],
96 Les songes menaçans, les hideuses comettes,
Nous avoient bien predit que l'an soixante et deux
Rendroit de tous costés les François malheureux,
Tués, assassinés : mais pour n'estre pas sages,
100 Nous n'avons jamais creu à si divins presages,
Obstinés, aveuglés : ainsi le peuple Hebrieu
N'adjoutoit point de foy aux prophetes de Dieu :
Lequel ayant pitié du François qui forvoye,
104 Comme pere benin du haut Ciel luy envoye
Songes, et visions, et prophetes, à fin
Qu'il pleure, et se repente, et s'amande à la fin.
Le Ciel qui a pleuré tout le long de l'année,
108 Et Seine qui couroit d'une vague éfrenée,
Et bestail et pasteurs largement ravissoit,
De son malheur futur Paris avertissoit,
Et sembloit que les eaux en leur rage profonde
112 Voulussent renoyer une autre fois le monde[7].
Cela nous predisoit que la terre, et les cieux
Menaçoient nostre chef d'un mal prodigieux.
O toy historien, qui d'ancre non menteuse
116 Escrits de nostre temps l'histoire monstrueuse,
Raconte à nos enfans tout ce malheur fatal,
Afin qu'en te lisant ils pleurent nostre mal,
Et qu'ils prennent exemple aux pechés de leurs peres,
120 De peur de ne tomber en pareilles miseres[8].
De quel front, de quel œil, ô siecles inconstans !
Pourront-ils regarder l'histoire de ce temps !
En lisant que l'honneur, le sceptre de France
124 Qui depuis si long age avoit pris accroissance,
Par une Opinion nourrice des combats,
Comme une grande roche, est bronché contre bas.
On dit que Jupiter faché contre la race
128 Des hommes, qui vouloient par curieuse audace
Envoyer leurs raisons jusqu'au Ciel pour sçavoir
Les haults secrets divins que l'homme ne doit voir,
Un jour estant gaillard choisit pour son amye

132 Dame Presomption, la voyant endormie
Au pié du mont Olympe, et la baisant soudain
Conçeut l'Opinion, peste du genre humain [9].
Cuider en fut nourrice, et fut mise à l'escole
136 D'orgueil, de fantasie, et de jeunesse folle.
Elle fut si enflée, et si pleine d'erreur
Que mesme à ses parens elle faisoit horreur.
Elle avoit le regard d'une orgueilleuse beste.
140 De vent et de fumée estoit pleine sa teste.
Son cueur estoit couvé de veine affection,
Et soubs un pauvre habit cachoit l'ambition.
Son visage estoit beau comme d'une Sereine,
144 D'une parole douce avoit la bouche pleine.
Legere elle portoit des aisles sur le dos :
Ses jambes et ses pieds n'estoient de chair ny d'os,
Ils estoient faits de laine, et de cotton bien tendre
148 Afin qu'à son marcher on ne la peut entendre.
Elle se vint loger par estranges moyens
Dedans le cabinet des Theologiens,
De ces nouveaux Rabins, et brouilla leurs courages
152 Par la diversité de cent nouveaux passages,
Afin de les punir d'estre trop curieux
Et d'avoir eschellé comme Geants les cieux [10].
Ce monstre que j'ay dit met la France en campaigne,
156 Mandiant le secours de Savoye, et d'Espaigne,
Et de la nation qui prompte au tabourin
Boit le large Danube, et les ondes du Rhin [11].
Ce monstre arme le fils contre son propre pere,
160 Et le frere (ô malheur) arme contre son frere,
La sœur contre la sœur, et les cousins germains
Au sang de leurs cousins veullent tremper leurs mains,
L'oncle fuit son nepveu, le serviteur son maistre,
164 La femme ne veut plus son mary recognoistre.
Les enfans sans raison disputent de la foy [12],
Et tout à l'abandon va sans ordre et sans loy.
L'artizan par ce monstre a laissé sa boutique,
168 Le pasteur ses brebis, l'advocat sa pratique,

Sa nef le marinier, sa foyre le marchand,
Et par luy le preudhomme est devenu meschant.
L'escollier se desbauche, et de sa faux tortue
172 Le laboureur façonne une dague pointue.
Une pique guerriere il fait de son rateau
Et l'acier de son coultre il change en un couteau.
Morte est l'autorité : chacun vit à sa guise
176 Au vice desreiglé la licence est permise,
Le desir, l'avarice, et l'erreur incensé
Ont sans-dessus-dessoubs le monde renversé.
On a fait des lieux saincts une horrible voerie,
180 Un assassinement, et une pillerie [13] :
Si bien que Dieu n'est seur en sa propre maison.
Au ciel est revollée, et Justice, et Raison,
Et en leur place helas ! regne le brigandage,
184 La force, les cousteaux, le sang et le carnage.
Tout va de pis en pis : les Citez qui vivoient
Tranquilles ont brisé la foy qu'elles devoient [14] :
Mars enflé de faux zele et de veine aparence
188 Ainsi qu'une furie agite nostre France,
Qui farouche à son prince, opiniastre suit
L'erreur d'un estranger, qui folle la conduit.
Tel voit on le poulain dont la bouche trop forte
192 Par bois et par rochers son escuyer emporte,
Et maugré l'esperon, la houssine, et la main,
Se gourme de sa bride [15], et n'obeist au frein :
Ainsi la France court en armes divisée,
196 Depuis que la raison n'est plus autorisée.
Mais vous, Royne tressage, en voyant ce discord
Pouvez, en commandant, les mettre tous d'accord :
Imitant le pasteur, qui voyant les armées
200 De ses mouches à miel fierement animées
Pour soustenir leurs Roys, au combat se ruer,
Se percer, se piquer, se navrer, se tuer,
Et parmy les assaults forcenant pesle mesle
204 Tomber mortes du Ciel aussi menu que gresle,
Portant un gentil cueur dedans un petit corps :

Il verse parmy l'aer un peu de poudre : et lors
Retenant des deux camps la fureur à son aise,
208 Pour un peu de sablon leurs querelles appaise.
Ainsi presque pour rien la seulle dignité
De vos enfans, de vous, de vostre autorité
(Que pour vostre vertu chaque Estat vous acorde)
212 Pourra bien appaiser une telle discorde.
O Dieu qui de là haut nous envoyas ton fils,
Et ta paix eternelle avecques nous tu fis,
Donne (je te supply) que cette Royne mere
216 Puisse de ces deux camps appaiser la colere.
Donne moy de rechef que son sceptre puissant
Soit maugré le discord en armes fleurissant.
Donne que la fureur de ce Monstre barbare
220 Aille bien loing de France au rivaige Tartare.
Donne que noz harnois de sang humain tachez
Soient dans un magasin pour jamais atachez.
Donne que mesme loy unisse noz provinces,
224 Unissant pour jamais le vouloir de nos princes.
Ou bien (O Seigneur Dieu), si les cruelz destins
Nous veullent saccager par la main des mutins,
Donne que hors des poings eschape l'alumelle
228 De ceux qui soutiendront la mauvaise querelle.
Donne que les serpens des hideuzes Fureurs
Agitent leurs cerveaux de Paniques terreurs.
Donne qu'en plain midy le jour leur semble trouble,
232 Donne que pour un coup ilz en sentent un double,
Donne que la poussiere entre dedans leurs yeux :
D'un esclat de tonnerre arme ta main aux cieux,
Et pour punition eslance sur leur teste,
236 Et non sur un rocher, les traiz de ta tempeste.

V

CONTINUATION
DU DISCOURS DES MISÈRES DE CE TEMPS (1562)
A LA ROYNE

Madame, je serois ou du plomb ou du bois,
Si moy, que la nature a fait naistre François,
Aux siecles advenir je ne contois la peine.
4 Et l'extreme malheur dont nostre France est pleine.
Je veux maugré les ans au monde publier [1],
D'une plume de fer sur un papier d'acier,
Que ses propres enfans l'ont prise et devestue,
8 Et jusques à la mort vilainement batue [2].
Elle semble au marchant, helas ! qui par malheur
En faisant son chemin rencontre le volleur,
Qui contre l'estomaq luy tend la main armée
12 D'avarice cruelle et de sang affamée :
Il n'est pas seullement content de luy piller
La bourse et le cheval, il le fait despouiller,
Le bat et le tourmente, et d'une dague essaye
16 De luy chasser du corps l'ame par une playe :
Puis en le voyant mort il se rit de ses coups,
Et le laisse manger aux mâtins et aux loups.
Si esse qu'à la fin la divine puissance
20 Court apres le meurtrier, et en prend la vengeance,

Et dessus une roüe (apres mille travaux)
Sert aux hommes d'exemple, et de proye aux corbeaux.
Mais ces nouveaux Tyrans qui la France ont pillée,
24 Vollée, assassinée, à force despouillée,
Et de cent mille coups le corps luy ont batu,
(Comme si brigandage estoit une vertu)
Vivent sans chastiment, et à les oüyr dire,
28 C'est Dieu qui les conduist, et ne s'en font que rire.
Ils ont le cœur si fol, si superbe, et si fier,
Qu'ils osent au combat leur maistre desfier:
Ils se disent de Dieu les mignons: et au reste
32 Qu'ils sont les heritiers du royaulme celeste.
Les pauvres incensez! qui ne cognoissent pas
Que Dieu pere commun des hommes d'icy bas
Veult sauver un chacun, et que la grand' closture
36 Du grand Paradis s'ouvre à toute creature
Qui croit en Jesuschrist: certes beaucoup de lieux,
Et de sieges seroyent sans ames dans les cieux,
Et Paradis seroit une plaine deserte,
40 Si pour eux seulement la porte estoit ouverte.
Or eux se vantant seuls les vrais enfans de Dieu,
En la dextre ont le glaive, et en l'autre le feu,
Et comme furieux qui frappent et enragent,
44 Vollent les temples saincts, et les villes sacagent[3].
Et quoy! bruler maisons, piller et brigander,
Tuer, assassiner, par force commander,
N'obeir plus aux Roys, amasser des armées,
48 Appellez vous cela Eglises reformées?
Jesus, que seulement vous confessez icy
De bouche et non de cœur, ne faisoit pas ainsi:
Et S[aint] Paul en preschant n'avoit pour toutes armes
52 Sinon l'humilité, les jeusnes et les larmes,
Et les Peres Martyrs, aux plus dures saisons
Des Tyrans, ne s'armoyent sinon que d'oraisons,
Bien qu'un Ange du ciel à leur moindre priere
56 En souflant eust rué les Tyrans en arriere.
Mais par force on ne peult Paradis violer:

Jesus nous a monstré le chemin d'y aller:
Armez de patience il faut suyvre sa voye,
60 Celuy qui ne la suit se damne et se forvoye.
Voulés vous ressembler à ces fols Albigeois
Qui planterent leur secte avecque le harnois?
Ou à ces Arriens qui par leur frenaisie
64 Firent perdre aux chrestiens les villes de l'Asie[4]?
Ou à Zvingle qui fut en guerre desconfit?
Ou à ceux que le Duc de Lorreine desfit?
Vous estes dés long temps en possession d'estre
68 Par armes combatus, nostre Roy vostre maistre
Bien tost à vostre dam le vous fera sentir,
Et lors de vostre orgueil sera le repentir.
Tandis vous exercez vos malices cruelles,
72 Et de l'Apocalypse estes les sauterelles,
Lesquelles aussi tost que le Puis fut ouvert
D'enfer, par qui le Ciel de nües fut couvert,
Avecques la fumée en la terre sortirent,
76 Et des fiers scorpions la puissance vestirent[5]:
El'avoient face d'homme, et portoient de grands dents
Tout ainsi que Lyons affamez et mordans.
Leur maniere d'aller en marchant sur la terre
80 Sembloit Chevaux armez qui courent à la guerre,
Ainsi qu'ardentement vous courez aux combats
Et Villes et Chasteaux vous renversez à bas.
El'avoient de fin or des couronnes aux testes,
84 Ce sont vos morions haut-dorez par les crestes.
El'avoient tout le corps de plastrons enfermez,
Les vostres sont toujours de corcelets armez:
Comme des scorpions leur queüe estoit meurtriere,
88 Ce sont vos pistolets qui tirent par derriere.
Perdant estoit leur maistre, et le vostre a perdu
Le sceptre que nos Roys avoient tant deffendu.
Vous ressemblez encor à ces jeunes viperes,
92 Qui ouvrent en naissant le ventre de leurs meres,
Ainsi en avortant vous avés fait mourir
La France vostre mere, en lieu de la nourrir.

De Besze[6], je te prie, escoute ma parolle
96 Que tu estimeras d'une personne folle :
S'il te plaist toutesfoys de juger sainement,
Apres m'avoir oüy tu diras autrement.
La terre qu'aujourdhuy tu remplis toute d'armes,
100 Y faisant fourmiller grand nombre de gendarmes,
Et d'avares soldars, qui du pillage ardans,
Naissent desoubs ta voix, tout ainsi que des dents
Du grand serpent Thebain les hommes, qui muerent
104 Le limon en couteaux, dont ils s'entretuerent,
Et nés et demi-nés se firent tous perir,
Si qu'un mesme soleil les vit naistre et mourir[7] :
De Besze, ce n'est pas une terre Gottique,
108 Ny une region Tartare, ny Scythique,
C'est celle où tu naquis, qui douce te receut,
Alors qu'à Veszelay ta mere te conceut,
Celle qui t'a nourry et qui t'a faict aprendre
112 La science et les ars dés ta jeunesse tendre,
Pour luy faire service, et pour en bien user,
Et non, comme tu fais, à fin d'en abuser.
Si tu es envers elle enfant de bon courage,
116 Ores que tu le peux, rends luy son nourrissage,
Retire tes soldars, et au lac Genevois
(Comme chose execrable) enfonce leurs harnois.
Ne presche plus en France une Evangile armée,
120 Un Christ empistollé tout noircy de fumée,
Portant un morion en teste, et dans la main
Un large coustelas rouge du sang humain :
Cela desplaist à Dieu, cela deplaist au prince,
124 Cela n'est qu'un appas qui tire la province
A la sedition, laquelle desoubs toy
Pour avoir liberté, ne vouldra plus de Roy.
Certes il vauldroit mieux à Lausane relire
128 Du grand fils de Thetis les proesses et l'ire,
Faire combattre Ajax, faire parler Nestor,
Ou reblesser Venus, ou retuer Hector
En papier non sanglant[8], que remply d'arrogance

132 Te mesler des combats dont tu n'as cognoissance,
Et trainer apres toy le vulgaire ignorant,
Lequel ainsi qu'un Dieu te va presque adorant.
Certes il vauldroit mieux celebrer ta Candide [9],
136 Et comme tu faisois, tenir encor la bride
Des cygnes Paphians [10], ou pres d'un antre au soir
Tout seul dans le giron des neuf Muses t'assoir,
Que reprendre l'Eglise, ou pour estre veu [11] sage
140 Amander en sainct Paul je ne scay quel passage:
De Besze mon amy, tout cela ne vaut pas
Que la France pour toy prenne tant de combats!
Ny que pour ton erreur un tel Prince [12] s'empesche!
144 Un jour en te voyant aller faire ton presche [13]
Ayant de soubs un raistre une espée au costé:
« Mon dieu, ce di-je lors, quelle sainte bonté!
Quelle Evangille helas! quel charitable zelle!
148 Qu'un Prescheur porte au flanc une espée cruelle!
Bien tost avec le fer nous serons consumés,
Puis que l'on voit de fer les Ministres armés. »
Et lors deux Surveillans qui parler m'entendirent,
152 Avecque un haussebec, ainsi me respondirent:
« Quoy parles tu de luy? lequel est envoyé
Du Ciel, pour r'enseigner le peuple devoyé?
Ou tu es un Athée, ou quelque benefice
156 Te fait ainsi vomir ta rage et ta malice?
Puis que si arrogant, tu ne fais point d'honneur
A ce prophete sainct envoyé du Seigneur. »
Adonq je respondi: « Apellés vous Athée
160 La personne qui point n'a de son cœur ostée
La foy de ses ayeux? qui ne trouble les loix
De son pays natal, les peuples ny les Roys?
Apellés vous Athée, un homme qui mesprise
164 Vos songes contrefais, les monstres de l'Eglise?
Qui croit en un seul Dieu, qui croit au sainct Esprit,
Qui croit de tout son cœur au sauveur Jesuschrist?
Apellés vous Athée un homme qui deteste
168 Et vous et vos erreurs comme infernalle peste?

Et vos beaux Predicans, qui fins et cauteleux
Vont abusant le peuple, ainsi que basteleurs,
Lesquels enfarinés au mi-lieu d'une place
172 Vont jouant finement leurs tours de passe passe,
Et à fin qu'on ne voye en plain jour leurs abus
Souflent dedans les yeux leur poudre d'Oribus [14].
Vostre poudre est crier bien haut contre le Pape,
176 Deschifrant meintenant sa Tiare et sa chape,
Meintenant ses pardons, ses bulles, et son bien,
Et plus vous criez haut, plus estes gens de bien.
Vous ressemblés à ceux que les fiebvres incensent,
180 Qui cuydent dire vray de tout cela qu'ils pensent:
Toutesfois la pluspart de vos Rhetoriqueurs
Vous preschent autrement qu'ils n'ont dedans les cœurs.
L'un monte sur la chaire ayant l'ame surprise
184 D'extresme ambition, l'autre de convoitise,
L'autre qui se voit pauvre est aise d'en avoir,
L'autre qui n'estoit rien de monter en pouvoir,
L'autre a l'esprit aigu, qui par meinte traverse
188 Soubs ombre de pitié tout le monde renverse.
Bref un Peroceli [15] aparoist entre vous
Plus sage, et continent, plus modeste, et plus doux,
Qui reprend asprement les violeurs d'images,
192 Les larrons, les meurtriers: qui de fardés langages
N'entretient point la guerre, ains deteste bien fort
Ceux qui plains de fureur nourrissent le discord.
Il est vrai que sa faulte est chose abominable,
196 Toutesfois en ce fait elle est bien excusable.
Ha que vous estes loing de nos premiers docteurs,
Qui sans craindre la mort ny les persecuteurs,
Alloient de leur bon gré aux plus cruels suplices,
200 Sans envoyer pour eux je ne scay quels novices.
Que vit tant à Geneve un Calvin desja vieux?
Qu'il ne se fait en France un martyr glorieux,
Soufrant pour sa parolle? ô âmes peu hardies!
204 Vous resemblés à ceux qui font les Tragedies,
Lesquels sans les joüer demeurent tous creintifs,

Et en donnent la charge aux nouveaux aprantis,
Pour n'estre point moqués ni siflés, si l'yssue
208 De la fable n'est pas du peuple bien receue.
Le peuple qui vous suit est tout empoisonné,
Il a tant le cerveau de sectes estonné,
Que toute la Rubarbe et toute l'Anticyre [16]
212 Ne lui scauroient garir sa fiebvre qui empire :
Car tant s'en faut helas ! qu'on la puisse garir,
Que son mal le contente, et luy plaist d'en mourir.
Il faut, ce dites vous, que ce peuple fidele
216 Soit guidé par un Chef qui preigne sa querelle,
Ainsi que Gedeon, lequel esleu de Dieu,
Contre les Madiens mena le peuple hebrieu [17] :
Si Gedeon avoit commis vos brigandages,
220 Vos meurtres, vos larcins, vos Gottiques pillages,
Il seroit execrable, et s'il avoit forfait
Contre le droit commun, il auroit tresmal fait.
De vostre election faites nous voir la bulle !
224 Et nous monstrés de Dieu le seing et la scedulle !
Si vous ne la monstrés, il faut que vous croyés
Qu'icy vous n'estes pas du Seigneur envoyés [18].
Ce n'est plus aujourdhui qu'on croit en tels oracles :
228 Faites à tout le moins quelques petits miracles !
Comme les peres saincts, qui jadis guerissoient
Ceux qui de maladie aux chemins languissoient,
Et desquels seulement l'ombre estoit salutaire :
232 Il n'est plus question, ce dites vous, d'en faire,
La foy est aprouvée. Allez aux regions
Qui n'ont ouy parler de nos Religions,
Au Pérou, Canada, Callicuth, Cannibales [19],
236 Là montrés par effait vos vertus Calvinales.
Si tost que cette gent grossiere vous verra
Faire un petit miracle, en vous elle croira,
Et changera sa vie, où toute erreur abonde,
240 Ainsi vous sauverés la plus grand part du monde.
Les Apostres jadis preschoient tous d'un accord,
Entre vous aujourdhuy ne regne que discord :

Les uns sont Zvingliens, les autres Lutheristes,
244 Œcolampadiens, Quintins, Anabaptistes,
Les autres de Calvin vont adorant les pas,
L'un est predestiné, et l'autre ne l'est pas,
Et l'autre enrage apres l'erreur Muncerienne [20],
248 Et bien tost s'ouvrira l'escole Beszienne.
Si bien que ce Luther, lequel estoit premier,
Chassé par les nouveaux est presque le dernier,
Et sa secte qui fut de tant d'hommes garnye,
252 Est la moindre de neuf qui sont en Germanye.
Vous devriez pour le moins avant que nous troubler,
Estre ensemble d'accord sans vous desassembler,
Car Christ n'est pas un dieu de noise ny discorde,
256 Christ n'est que charité, qu'amour, et que concorde,
Et monstrés clerement par la division,
Que Dieu n'est point auteur de vostre opinion.
Faittes moy voir quelqu'un qui ait changé de vie
260 Apres avoir suivy vostre belle folie?
J'en voy qui ont changé de couleur et de teint,
Hydeux en barbe longue, et en visage feint,
Qui sont plus que devant tristes, mornes et palles,
264 Comme Oreste agité des fureurs infernalles.
Mais je n'en ay point veu qui soient d'audacieux
Plus humbles devenus, plus doux, ny gracieux,
De paillards continens, de menteurs veritables,
268 D'efrontés vergongneux, de cruels charitables,
De larrons aumonniers, et pas un n'a changé
Le vice dont il fut au paravant chargé.
Je cognois quelques uns de ces fols qui vous suivent,
272 Je scay bien que les Turcs et les Tartares vivent
Plus modestement qu'eux, et suis tout efroyé
Que mille fois le jour leur chef n'est foudroyé.
J'ay peur que tout ainsi qu'Arrius fit l'entrée
276 Au Turc qui surmonta l'Asienne contrée [21],
Que par vostre moyen il ne se vueille armer,
Et que pour nous domter il ne passe la mer,
Et que vous les premiers n'en suportiés la peine,

280 En pensant vous vanger de l'Eglise Romaine.
Ainsi voit on celuy qui tend le piege aux bois
En voulant prendre autruy se prendre quelque fois.
La tourbe qui vous suit est si vaine et si sotte,
284 Qu'estant afriandée aux douceurs de la Lote[22],
J'entends afriandée à cette liberté
Que vous preschés par tout, tient le pas arresté
Sur le bord estranger, et plus n'a souvenance
288 De vouloir retourner au lieu de sa naissance.
Helas si vous aviés tant soit peu de raison,
Vous cognoistriés bien tost qu'on vous tient en prison,
Pipés, ensorcellés : comme par sa malice
292 Circe tenoit charmés les compaignons d'Ulysse
O Seigneur tout puissant, ne mets point en oubly
D'envoyer un Mercure avecques le moly[23]
Vers ce noble Seigneur[24], à fin qu'il l'admoneste,
296 Et luy face rentrer la raison en la teste,
Luy descharme les sens, luy dessille les yeux,
Luy monstre clairement quels furent ses ayeulx
Grands Roys, et gouverneurs des grandes republiques,
300 Tant craints et redoubtés pour estre catholiques.
Si la saine raison le regaigne une fois,
Luy qui est si gaillard, si doux, et si courtois,
Il cognoistra l'estat auquel on le fait vivre :
304 Et comme pour de l'or on luy donne du cuyvre,
Et pour un grand chemin un sentier esgaré,
Et pour un Diamant un verre bigarré.
Las ! que je suis marry que cil qui fut mon maistre[25],
308 Despetré du filet, ne se peut recognoistre :
Je n'ayme son erreur, mais hayr je ne puis
Un si digne Prelat dont serviteur je suis,
Qui benin m'a servy (quand fortune prospere
312 Le tenoit pres des Roys) de seigneur et de pere :
Dieu preserve son chef de malheur et d'ennuy,
Et le bon heur du ciel puisse tomber sur luy. »
Achevant ces propos je me retire, et laisse
316 Ces surveillans confus au milieu de la presse,

Qui disoient que Satan le cœur m'avoit couvé,
Et me grinceant les dens m'apelloient reprouvé.
L'autre jour en pensant que cette pauvre terre
320 S'en alloit (ô malheur) la proye d'Angleterre [26],
Et que ses propres fils amenoient l'estranger
Qui boit les eaux du Rhin, à fin de l'outrager,
M'apparut tristement l'idole de la France,
324 Non telle qu'elle estoit lors que la brave lance
De Henry la gardoit, mais faible et sans confort
Comme une pauvre femme atteinte de la mort:
Son sceptre luy pendoit, et sa robbe semée
328 De fleurs de lys estoit en cent lieux entamée,
Son poil estoit hydeux, son œil have, et profond,
Et nulle magesté ne lui hausoit le front.
En la voyant ainsi je luy dis: « Ô Princesse,
332 Qui presque de l'Europe as esté la maitresse,
Mere de tant de Roys, conte moy ton malheur,
Et dy moy je te pry d'où te vient ta douleur. »
Elle adonq en tirant sa parolle contrainte,
336 Souspirant aigrement, me fit ainsi sa pleinte:
« Une ville est assise és champs Savoysiens,
Qui par fraude a chassé ses seigneurs anciens [27],
Miserable sejour de toute apostasie,
340 D'opiniastreté, d'orgueil, et d'heresie,
Laquelle (en ce pendant que les Roys augmentoient
Mes bornes, et bien loing pour l'honneur combatoient)
Apellant les banis en sa secte damnable
344 M'a fait comme tu vois chetive et miserable.
Or mes Roys voyans bien qu'une telle cité
Leur seroit quelque jour une infelicité,
Deliberoient assés de la ruer par terre,
348 Mais contre elle jamais n'ont entrepris la guerre,
Ou soit par negligence, ou soit par le destin
Entiere ils l'ont laissée: et de là vient ma fin.
Comme ces laboureurs dont les mains inutiles
352 Laissent pendre l'hyver un toufeau de chenilles
Dans une feuille seiche au feste d'un pommier:

Si tost que le soleil de son rayon premier
A la feuille eschaufée, et qu'elle est arrosée
356 Par deux ou par trois fois d'une tendre rosée,
Le venin, qui sembloit par l'hyver consumé,
En chenilles soudain apparoist animé,
Qui tombent de la feuille, et rempent à grand peine
360 D'un dos entre-cassé au milieu de la plaine :
L'une monte en un chesne et l'autre en un ormeau,
Et toujours en mangeant se trainent au coupeau,
Puis descendent à terre, et tellement se paissent
364 Qu'une seule verdure en la terre ne laissent.
Alors le laboureur voyant son champ gasté,
Lamente pour néant qu'il ne s'estoit hasté
D'etoufer de bonne heure une telle semence :
368 Il voit que c'est sa faulte, et s'en donne l'offence.
Ainsi lors que mes Roys aux guerres s'efforceoient,
Toutes en un monceau ces chenilles croissoient,
Si qu'en moins de trois moys, telle tourbe enragée
372 Sur moy s'est espandue, et m'a toute mangée.
Or mes peuples mutins, arrogans et menteurs,
M'ont cassé le bras droit chassant mes Senateurs [28],
Car de peur que la loy ne corrigeast leur vice
376 De mes palais Royaux ont bany la justice :
Ils ont rompu ma robbe en rompant mes cités,
Rendans mes citoyens contre moy depités :
Ont pillé mes cheveux en pillant mes Eglises,
380 Mes Eglises helas ! que par force ils ont prises !
En poudre foudroyant images et autels :
Venerable sejour de nos Saincts immortels !
Contre eux puisse torner si malheureuse chose
384 Et l'or sainct derobé leur soit l'or de Tolose [29].
Ils n'ont pas seulement, sacrileges nouveaux,
Fait de mes temples saincts, estables à chevaux,
Mais comme tormentés des Fureurs Stygialles [30].
388 Ont violé l'honneur des ombres sepulchrales,
A fin que par tel acte inique et malheureux
Les vivans et les morts conspirassent contre eux :

Busire[31] fut plus doux, et celuy qui promeine
392 Une roche aux enfers eut l'ame plus humaine :
Bref ilz m'ont delaissée en extresme langueur.
Toutesfois en mon mal je n'ay perdu le cueur,
Pour avoir une Royne à propos rencontrée
396 Qui douce et gracieuse envers moy s'est monstrée :
Elle par sa vertu, quand le cruel effort
De ces nouveaux mutins me trainoit à la mort,
Lamentoit ma fortune, et comme Royne sage
400 Reconfortoit mon cueur, et me donnoit courage.
Elle, abbaissant pour moy sa haulte magesté,
Preposant mon salut à son autorité,
Mesmes estant malade, est meintefois allée
404 Pour m'apointer à ceux qui m'ont ainsi vollée.
Mais Dieu qui des malins n'a pitié ny mercy
(Comme au Roy Pharaon) a leur cueur endurcy,
A fin que tout d'un coup sa main puissante et haute
408 Les corrige en fureur, et punisse leur faute[32].
Puis quand je voy mon Roy qui desja devient grand,
Qui courageusement me soustient et defend,
Je suis toute garie, et la seulle apparance
412 D'un Prince si bien né me nourrist d'esperance.
Ce Prince, ou je me trompe, en voyant son meintien,
Sa nature si douce, et incline à tout bien,
Et son corps agité d'une ame ingenieuse,
416 Et sa façon de faire honeste et gratieuse,
Ni moqueur, ni jureur, menteur, ni glorieux,
Je pense qu'icy bas il est venu des cieux
A fin que la couronne au chef me soit remise,
420 Et que par sa vertu refleurisse l'Eglise.
Avant qu'il soit long temps ce magnanime Roy
Domptera les Destins qui s'arment contre moy,
Et ces faux devineurs qui d'une bouche ouverte
424 De son sceptre Royal vont predisant la perte.
Ce Prince accompaigné d'armes et de bon heur,
Envoyra jusqu'au ciel ma gloire et mon honneur,
Et aura, pour se rendre aux ennemis terrible,

428 Le nom de Treschrestien et de tresinvincible.
Puis voyant d'autre part cet honneur de Bourbon [33],
Ce magnanime Roy, qui tressage et tresbon
S'oppose à l'heresie, et par armes menasse
432 Ceux qui de leurs ayeux ont delaissé la trace,
Voyant le Guisian d'un courage indonté,
Voyant Monmorenci, voyant d'autre costé
Aumalle et sainct André : puis voyant la noblesse
436 Qui porte un cueur enflé d'armes et de prouesse :
J'espere apres l'orage un retour de beau temps,
Et apres un hyver un gratieux printemps.
Car le bien suit le mal comme l'onde suit l'onde,
440 Et rien n'est assuré sans se changer au monde.
Ce pendant pren la plume, et d'un stile endurci [34]
Contre le trait des ans, engrave tout ceci,
A fin que nos nepveux puissent un jour cognoistre
444 Que l'homme est malheureux qui se prend à son
[maistre. »
Ainsi, par vision la France à moi parla,
Puis tout soudainement de mes yeux s'en volla
Comme une poudre au vent, ou comme une fumée
448 Qui se joüant en l'air, est en rien consumée.

VI

REMONSTRANCE

AU PEUPLE DE FRANCE (1563)

O Ciel, ô Mer, ô Terre, ô Dieu pere commun
Des Chrestiens, et des Juifs, des Turcs, et d'un chacun:
Qui nourris aussi bien par ta bonté publicque
4 Ceux du Pole Antarticq', que ceux du Pole Artique:
Qui donnes et raison, et vie, et mouvement,
Sans respect de personne [1], à tous egallement,
Et fais du ciel là haut sur les testes humaines
8 Tomber, comme il te plaist, et les biens, et les peines.
O Seigneur tout puissant, qui as tousjours esté
Vers toutes nations plain de toute bonté,
Dequoy te sert là haut la foudre et le tonnerre,
12 Si d'un esclat de feu tu n'en brusles la terre?
Es tu dedans un trosne assis sans faire rien?
Il ne faut point douter que tu ne saches bien
Cela que contre toy brassent tes creatures,
16 Et toutesfois, Seigneur, tu le vois et l'endures!
Ne vois tu pas du ciel ces petits animaux
Lesquels ne sont vestus que de petites peaux,
Ces petits animaux qu'on appelle les hommes,
20 Et comme bulles d'eaux tu creves et consommes?
Que les doctes Romains, et les doctes Gregois,

Nomment songe, fumée, et fueillage des bois [2]?
Qui n'ont jamais icy la vérité cogneue,
24 Que je ne sçay comment ou par songe ou par nue?
Et toutesfois, Seigneur, ils font les empeschez,
Comme si tes segretz ne leur estoient cachez,
Braves entrepreneurs, et discoureurs des choses
28 Qui aux entendemens de tous hommes sont closes,
Qui par longue dispute et curieux propos
Ne te laissent jouyr du bien de ton repos,
Qui de tes sacremens effacent la memoire [3].
32 Qui disputent en vain de cela qu'il faut croire,
Qui font trouver ton Fils imposteur et menteur.
Ne les puniras tu, souverain createur?
Tiendras tu leur party? Veux tu que lon t'appelle
36 Le Seigneur des larrons, et le Dieu de querelle?
Ta nature y repugne, aussi tu as le nom
De doux, de pacifiq', de clement, et de bon,
Et ce monde accordant, ton ouvrage admirable
40 Nous monstre que l'accord t'est tousjours aggreable.
Mais qui seroit le Turc, le Juif, le Sarrasin,
Qui voyant les erreurs du Chrestien son voisin,
Se voudroit baptiser? le voyant d'heure en heure
44 Changer d'opinion, qui jamais ne s'asseure?
Le cognoissant leger, mutin, seditieux,
Et trahir en un jour la foy de ses ayeux [4]?
Inconstant, incertain, qui aux propos chancelle
48 Du premier qui luy chante une chanson nouvelle?
Le voyant Manichée, et tantost Arrien [5],
Tantost Calvinien, tantost Lutherien,
Suivre son propre advis, non celuy de l'Eglise?
52 Un vrai jong d'un estang, le jouet de la bise,
Ou quelque girouette, inconstante, et suivant
Sur le haut d'une tour la volonté du vent?
Et qui seroit le Turc lequel auroit envye
56 De se faire Chrestien en voyant telle vye?
Certes si je n'avois une certaine foy
Que Dieu par son esprit de grace a mise en moy,

Voyant la Chrestienté n'estre plus que risée,
60 J'aurois honte d'avoir la teste baptisée,
Je me repentirois d'avoir esté Chrestien,
Et comme les premiers je deviendrois Payen.
La nuit j'adorerois les rayons de la Lune,
64 Au matin le Soleil, la lumiere commune,
L'œil du monde, et si Dieu au chef porte des yeux,
Les rayons du Soleil sont ses yeux radieux,
Qui donnent vie à tous, nous maintiennent et gardent,
68 Et les faicts des humains en ce monde regardent.
Je dy ce grand Soleil qui nous fait les saisons
Selon qu'il entre ou sort de ses douze maisons[6],
Qui remplist l'univers de ses vertus cogneues,
72 Qui d'un trait de ses yeux nous dissipe les nues,
L'esprit, l'ame du monde, ardant et flamboyant,
En la course d'un jour tout le ciel tournoyant,
Plain d'immence grandeur, rond, vagabond, et ferme,
76 Lequel tient dessoubs luy tout le monde pour terme,
En repos, sans repos, oisif, et sans sejour,
Fils aysné de Nature, et le pere du jour[7].
J'adorerois Cerés qui les bleds nous apporte,
80 Et Bachus qui le cueur des hommes reconforte,
Neptune le sejour des vens et des vaisseaux,
Les Faunes, et les Pans, et les Nymphes des eaux,
Et la terre, hospital de toute creature,
84 Et ces Dieux que lon feinct ministres de Nature.
Mais l'Evangile sainct du Sauveur Jesuschrist,
M'a fermement gravée une foy dans l'esprit,
Que je ne veux changer pour une autre nouvelle,
88 Et deussai-je endurer une mort trescruelle.
De tant de nouveautez je ne suis curieux :
Il me plaist d'imiter le train de mes ayeux,
Je croy qu'en Paradis ils vivent à leur aise,
92 Encore qu'ils n'ay'nt suivy ny Calvin ny de Besze.
Dieu n'est pas un menteur, abuseur, ny trompeur,
De sa saincte promesse il ne faut avoir peur,
Ce n'est que vérité, et sa vive parolle

96 N'est pas comme la nostre incertaine et frivole.
L'homme qui croit en moy (dit il) sera sauvé :
Nous croyons tous en toy, nostre chef est lavé
En ton nom, ô Jesus, et des nostre jeunesse
100 Par foy nous esperons en ta saincte promesse.
Et toutesfois, Seigneur, par un mauvais destin
Je ne sçay quel croté apostat Augustin [8],
Un Picard usurier, un teneur de racquette,
104 Un mocqueur, un pipeur, un bon nieur de debte,
Qui vend un benefice et à deux et à trois,
Un paillard, un causeur, un renyé françoys,
Nous presche le contraire, et tellement il ose
108 Qu'à toy la verité sa mensonge il opose.
Le soir que tu donnois à ta Suitte ton corps [9],
Personne d'un couteau ne te pressoit alors
Pour te faire mentir, et pour dire au contraire
112 De ce que tu avois deliberé de faire.
Tu as dit simplement d'un parler net et franc,
Prenant le pain et vin : « C'est cy mon corps et sang »,
Non « signe de mon corps ». Toutesfois ces ministres,
116 Ces nouveaux defroqués, apostats et belistres,
Dementent ton parler, disent que tu resvois,
Et que tu n'entendois cela que tu disois.
Ils nous veullent monstrer par raison naturelle
120 Que ton corps n'est jamais qu'à la dextre eternelle
De ton pere là haut, et veullent t'atacher
Ainsi que Promethée au feste d'un rocher.
Ils nous veullent prouver par la Philosophie
124 Qu'un corps n'est en deux lieux : aussi je ne leur nye,
Car un corps n'a qu'un lieu : mais le tien, ô Seigneur,
Qui n'est que majesté, que puissance, et qu'honneur,
Divin, glorifié, n'est pas comme les nostres :
128 Celuy à porte close alla voir les Apostres,
Celuy sans rien casser sortit hors du tombeau,
Celuy sans pesanteur d'os, de chair ny de peau
Monta dedans le ciel. Si ta vertu feconde
132 Sans matiere aprestée a basty tout ce monde,

Si tu es tout divin, tout sainct, tout glorieux [10],
Tu peux communiquer ton corps en divers lieux.
Tu serois impuissant, si tu n'avois puissance
136 D'accomplir tout cela que ta majesté pense.
Mais quel plaisir au ciel prens tu d'ouyr ça bas
Dire que tu y es, et que tu n'y es pas,
D'ouyr ces predicans qui par nouveaux passages
140 En voulant te prouver, prouvent qu'ils ne sont sages,
Qui pipent le vulgaire, et disputent de toy,
Et rappellent tousjours en doute nostre foy?
Il fait bon disputer des choses naturelles,
144 Des foudres, et des vens, des neiges, et des gresles,
Et non pas de la foy dont il ne faut douter,
Seullement il faut croire, et non en disputer [11].
Tout homme qui voudra soigneusement s'enquerre
148 De quoy Dieu fit le ciel, les ondes, et la terre,
Du Serpent qui parla, de la pomme d'Adam,
D'une femme en du sel [12], de l'asne à Balaam,
Des miracles de Moyse, et de toutes les choses
152 Qui sont dedans la Bible estrangement encloses,
Il y perdra l'esprit: car Dieu, qui est caché,
Ne veut que son segret soit ainsi recherché.
Bref nous sommes mortels, et les choses divines
156 Ne se peuvent loger en nos foibles poictrines
Et de sa prescience en vain nous devisons,
Car il n'est pas suject à nos sottes raisons:
L'entendement humain, tant soit il admirable,
160 Du moindre fait de Dieu, sans grace, n'est capable.
Comment pourrions nous bien avecq' nos petits yeux
Cognoistre clerement les misteres des cieux?
Quand nous ne sçavons pas regir nos republicques,
164 Ny mesmes gouverner nos choses domestiques!
Quand nous ne cognoissons la moindre herbe des prez!
Quand nous ne voyons pas ce qui est à nos pieds!
Toutesfois les Docteurs de ces sectes nouvelles,
168 Comme si l'Esprit Sainct avoit usé ses aisles
A s'appuyer sur eux, comme s'ils avoient eu

Du ciel dru et menu mille langues de feu[13],
Et comme s'ils avoient (ainsi que dit la fable
172 De Minos) banqueté des haults Dieux à la table,
Sans que honte et vergongne en leur cueur trouve lieu,
Parlent profondement des misteres de Dieu,
Ils sont ses conseillers, ils sont ses secretaires,
176 Ils sçavent ses advis, ils sçavent ses affaires,
Ils ont la clef du Ciel et y entrent tous seuls,
Ou qui veult y entrer, il faut parler à eux.
Les autres ne sont rien sinon que grosses bestes,
180 Gros chapperons fourrez, grasses et lourdes testes:
S[aint] Ambrois, S[aint] Hierosme, et les autres docteurs,
N'estoient que des resveurs, des fols, et des menteurs:
Avecq'eux seulement le S[aint] Esprit se treuve,
184 Et du S[aint] Evangille il ont trouvé la febve[14].
O pauvres abusez! mille sont dans Paris,
Lesquels sont dés jeunesse aux estudes nourris,
Qui de contre une natte estudiant attachent
188 Melancolicquement la pituite qu'ils crachent,
Desquels vous apprendriez en diverses façons,
Encores dix bons ans mille et mille leçons.
Il ne faut pas avoir beaucoup d'experience
192 Pour estre exactement docte en vostre science,
Les barbiers, les maçons en un jour y sont clers,
Tant vos misteres saincts sont cachez et couvers!
Il faut tant seulement avecques hardiesse
196 Detester le Papat, parler contre la messe,
Estre sobre en propos, barbe longue, et le front
De rides labouré, l'œil farouche et profond,
Les cheveux mal peignez, un soucy qui s'avalle,
200 Le maintien renfrongné, le visage tout palle,
Se monstrer rarement, composer maint escrit,
Parler de l'Eternel, du Seigneur, et de Christ,
Avoir d'un reistre long les espaules couvertes,
204 Bref estre bon brigand et ne jurer que certes[15].
Il faut pour rendre aussi les peuples estonnés
Discourir de Jacob et des predestinés,

Avoir S[aint] Paul en bouche, et le prendre à la lettre,
208 Aux femmes, aux enfans l'Evangille permettre,
Les œuvres mespriser, et haut loüer la foy [16],
Voylà tout le sçavoir de vostre belle loy.
J'ay autrefois goutté, quand j'estois jeune d'age,
212 Du miel empoisonné de vostre doux breuvage,
Mais quelque bon Daimon, m'ayant ouy crier,
Avant que l'avaller me l'osta du gosier.
Non non je ne veux point que ceux qui doibvent naistre
216 Pour un fol Huguenot me puissent recognoistre :
Je n'aime point ces mots qui sont finis en os,
Ces Gots, ces Austregots, Visgots, et Huguenots :
Ils me sont odieux comme peste, et je pense
220 Qu'ils sont prodigieux au Roy et à la France [17].
Vous ne pipés sinon le vulgaire innocent,
Grosse masse de plomb qui ne voit ny ne sent,
Ou le jeune marchant, le bragard gentilhomme,
224 L'escollier debauché, la simple femme : et somme
Ceux qui sçavent un peu, non les hommes qui sont
D'un jugement rassis, et d'un sçavoir profond :
Amyot et Danés [18] lumieres de nostre aage,
228 Aux lettres consumés, en donnent tesmoignage,
Qui sans avoir tiré vostre contagion
Sont demeurés entiers en leur religion.
Hommes dignes d'honneur, cheres testes et rares,
232 Les cieux de leur faveur ne vous soient point avares,
Vivés heureusement, et en toutes saisons
D'honneurs et de vertus soyent pleines vos maisons.
Perisse mille fois cette tourbe mutine
236 Qui folle court apres la nouvelle doctrine,
Et par opinion [19] se laisse sottement,
Soubs ombre de piété, gaigner l'entendement.
O Seigneur, tu devois pour chose necessaire
240 Mettre l'opinion aux tallons, et la faire
Loing du chef demeurer, et non pas l'apposer
Si pres de la raison, à fin de l'abuser,
Comme un mechant voisin qui abuse à toute heure

244 Celuy qui par fortune aupres de luy demeure.
Si tost que ce fier monstre est pris, il gaigne apres
La voisine raison, laquelle habite aupres,
Et alors toute chose en l'homme est debordée,
248 Quand par l'opinion la raison est guidée.
La seule opinion fait les hommes armer,
Et frere contre frere au combat animer,
Perd la religion, renverse les grands villes,
252 Les couronnes des Roys, les polices civilles,
Et apres que le peuple est soubs elle abbatu,
Lors le vice et l'erreur surmontent la vertu.
Or cette opinion fille de fantasie
256 Outre-volle l'Afrique, et l'Europe, et l'Asie,
Sans jamais s'arrester, car d'un vol nompareil
Elle atteinct en un jour la course du Soleil.
Elle a les pieds de vent, et de sur les aisselles
260 Comme un monstre emplumé elle porte des aesles,
Elle a la bouche grande, et cent langues dedans,
Sa poitrine est de plomb, ses yeux promps et ardans,
Tout son chef est de verre et a pour compagnye
264 La jeunesse et l'erreur, l'orgueil et la manye.
De ses tetins ce monstre un Vuiclef aletta,
Et en depit du ciel un Jehan Hus enfanta [20],
Puis elle se logea sur le haut de la porte
268 De Luther son enfant, et dit en cette sorte :
« Mon fils, il ne faut plus que tu laisses rouiller
Ton esprit en paresse, il te faut despouiller
Cet habit monstrueux, il faut laisser ton cloistre :
272 Aux Princes et aux Roys je te feray cognoistre,
Et si feray ton nom fameux de tous costez,
Et rendray dessoubs toy les peuples surmontez :
Il faut oser beaucoup : la Fortune demande
276 Un magnanime cueur qui ose chose grande.
Ne vois tu que le Pape est trop enflé de biens !
Comme il presse soubs soy les Princes terriens !
Et comme son Eglise est toute depravée
280 D'ambition, de gloire, et d'honneur abreuvée !

Ne vois tu ses suppots paresseux et poussis,
Decouppez[21], parfumez, delicats et lassis,
Fauconniers et veneurs, qui occupent et tiennent
284 Les biens qui justement aux pauvres appartiennent!
Sans prescher, sans prier, sans garder le troupeau,
Dont ils tirent la gresse, et dechirent la peau!
Dieu t'appelle à ce fait! courage je te prie!
288 Le monde, ensorcelé de vaine piperie,
Ne pourra resister: tout va de pis en pis
Et tout est renversé des grands jusqu'aux petits!
La foy, la verité de la terre est banye,
292 Et regnent en leur lieu luxure et gloutonnie,
L'exterieur domine en tout ce monde icy,
Et de l'interieur personne n'a soucy.
Pource je vien du ciel pour te le faire entendre,
296 Il te faut maintenant en main les armes prendre:
Je fourniray de feu, de mesche, et de fuzil:
Pour mille inventions j'auray l'esprit subtil,
Je marcheray devant et d'un cry vray-semblable
300 J'assembleray pour toy le vulgaire muable,
J'iray le cueur des Rois de ma flamme attiser,
Je feray leurs cités en deux pars diviser,
Et seray pour jamais ta fidelle compagne.
304 Tu feras grand plaisir aux princes d'Allemagne,
Qui sont marris de voir (comme estans genereux)
Un Evesque electeur, et dominer sur eux:
S'ils veullent qu'en leur main l'election soit mise
308 Il faut rompre premier les forces de l'Eglise:
Un moyen plus gaillard ne se treuve sinon
Que de monter en chaire, et d'avancer ton nom,
Abominer le Pape, et par mille finesses
312 Crier contre l'Eglise, et oster ses richesses. »
Ainsi disoit ce Monstre, et arrachant soudain
Un serpent de son dos, le jetta dans le sein
De Luther estonné: le serpent se derobe,
316 Qui glissant lentement par les plis de sa robbe,
Entre soubs la chemise, et coullant sans toucher

De ce moyne abusé ny la peau ny la chair,
Luy souffle vivement une ame serpentine,
320 Et son venin mortel luy crache en la poitrine,
L'enracinant au cueur : puis faisant un grand bruit
D'escailles et de dens, comme un songe s'enfuit.
Au bruit de ce serpent que les mons redoublerent,
324 Le Danube et le Rhin en leur course en tremblerent,
L'Allemaigne en eut peur, et l'Espaigne en fremit,
D'un bon somme depuis la France n'en dormit,
L'Itale s'estonna, et les bords d'Angleterre
328 Tressaillirent d'effroy, comme au bruit d'une guerre.
Lors Luther, agité des fureurs du Serpent,
Son venin et sa rage en Saxonne [22] respend,
Et si bien en preschant il supplye et commande,
332 Qu'à la fin il se void docteur d'une grande bande.
Depuis les Allemans ne se virent en paix,
La mort, le sang, la guerre, et les meurtres espaix
Ont assiégé leur terre, et cent sortes de vices
336 Ont sans dessus-dessoubs renversé leurs polices.
De là sont procedez les maux que nous avons,
De là vient le discord soubs lequel nous vivons,
De là vient que le fils fait la guerre à son pere [23],
340 La femme à son mary, et le frere à son frere,
A l'oncle le nepveu : de là sont renversez
Les Conciles sacrés des vieux siecles passez.
De là toute heresie au monde prist naissance,
344 De là vient que l'Eglise a perdu sa puissance,
De là vient que les Roys ont le Sceptre esbranlé,
De là vient que le foyble est du fort violé,
De là sont procedés ces Geants qui eschellent
348 Le Ciel [24], et au combat les Dieux mesmes appellent,
De là vient que le monde est plain d'iniquité,
Remply de defiance, et d'infidelité,
Ayant perdu sa reigle et sa forme ancienne.
352 Si la religion, et si la foy Chrestienne
Apportent de tels fruits, j'ayme mieux la quitter
Et bany m'en aller les Indes habiter,

Ou le pole Antartiq' où les sauvages vivent,
356 Et la loy de nature heureusement ensuivent.
  Mais en bref, ô Seigneur tout puissant et tout fort,
Par ta saincte bonté tu rompras leur effort,
Tu perdras leur conseil, et leur force animée
360 Contre ta majesté tu mettras en fumée :
Car tu n'es pas l'appuy ny l'amy des larrons :
Et pource soubs ton aesle à seurté nous serons.
  La victoire des camps ne depend de nos armes,
364 Du nombre des piétons, du nombre des gendarmes,
Elle gist en ta grace, et de là haut aux cieux
Tu fais ceux qu'il te plaist icy victorieux.
  Nous sçavons bien, Seigneur, que nos fautes sont
[grandes,
368 Dignes de chatiment, mais, Seigneur, tu demandes
Pour satisfaction un cueur premierement,
Contrit, et penitent, et demis humblement,
Et pource, Seigneur Dieu, ne punis en ton ire
372 Ton peuple repentant, qui lamente et souspire,
Qui te demande grace, et par triste meschef
Les fautes de ses Roys ne tourne sur son chef.
  Vous, Princes et vous Roys, la faute avez commise
376 Pour laquelle aujourd'huy soufre toute l'Eglise,
Bien que de vostre temps vous n'ayez pas cogneu
Ni senty le malheur qui nous est advenu.
  Vostre facilité qui vendoit les offices,
380 Qui donnoit aux premiers les vaquans benefices [25],
Qui l'Eglise de Dieu d'ignorans farcissoit,
Qui de larrons privez les Pallais remplissoit,
Est cause de ce mal. Il ne faut qu'un jeune homme
384 Soit evesque ou abbé, ou cardinal de Romme,
Il faut bien le choisir avant que luy donner
Une mittre, et pasteur des peuples l'ordonner.
  Il faut certainement qu'il ayt le nom de prebstre,
388 Prebstre veut dire vieil, c'est à fin qu'il puisse estre
De cent mille pechez tout delivre et tout franc,
Que la jeunesse donne en la ferveur du sang.

Si Platon prevoyoit par les molles musiques
392 Le futur changement des grandes republicques,
Et si par l'armonie il jugeoit la cité :
Voyant en nostre Eglise une lascivité,
On pouvoit bien juger qu'elle seroit destruicte,
396 Puis que jeunes pillots luy servoient de conduicte,
Tout Sceptre, et tout Empire, et toutes regions
Fleurissent en grandeur par les religions,
Et par elle ou en paix ou en guerre nous sommes,
400 Car c'est le vray ciment qui entretient les hommes.
On ne doit en l'Eglise evesque recevoir
S'il n'est vieil, s'il ne presche, et s'il n'est de sçavoir,
Et ne faut eslever par faveur ny richesse
404 Aux offices publiqs l'inexperte jeunesse
D'un escolier qui vient de Tholose [26], davant
Que par longue prudence il devienne sçavant.
Vous, Royne, en departant les dignitez plus hautes,
408 Des Roys voz devanciers ne faittes pas les fautes,
Qui sans sçavoir les meurs de celuy qui plus fort
Se hastoit de picquer, et d'apporter la mort,
Donnoient le benefice, et, sans sçavoir les charges
412 Des biens de Jesuschrist, en furent par trop larges,
Lesquels au temps passé ne furent ordonnés
Des premiers fondateurs pour estre ainsi donnés.
Madame, il faut chasser ces gourmandes Harpyes,
416 Je dy ces importuns, dont les griffes remplyes
De cent mille morceaux, tendent tousjours la main
Et tant plus ils sont saouls, plus ils meurent de fain,
Esponges de la Court, qui succent et qui tirent,
420 Et plus sont plaines d'eau et tant plus en desirent.
O vous, doctes Prelats, poussés du S[aint] Esprit,
Qui estes assemblés au nom de Jesuschrist,
Et taschés sainctement par une voye utile
424 De conduire l'Eglise à l'accord d'un Concile [27],
Vous mesmes les premiers, Prelats, reformés vous,
Et comme vrays pasteurs faittes la guerre aux loups,
Ostés l'ambition, la richesse excessive,

428 Arrachés de vos cueurs la jeunesse lascive,
Soyés sobres de table, et sobres de propos,
De vos troupeaux commis cerchés moy le repos,
Non le vostre, Prelats, car vostre vray office
432 Est de prescher sans cesse et de chasser le vice.
Vos grandeurs, vos honneurs, vos gloires despouillés,
Soyés moy de vertus non de soye habillés,
Ayés chaste le corps, simple la conscience :
436 Soit de nuict, soit de jour apprenez la science,
Gardés entre le peuple une humble dignité,
Et joignés la douceur avecq' la gravité.
Ne vous entremeslés des affaires mondaines,
440 Fuyés la court des Roys et leurs faveurs soudaines,
Qui perissent plus tost qu'un brandon allumé
Qu'on voit tantost reluire, et tantost consumé.
Allés faire la court à vos pauvres oueilles,
444 Faictes que vostre voix entre par leurs oreilles,
Tenés vous pres du parc, et ne laissés entrer
Les loups en vostre clos, faute de vous monstrer.
Si de nous reformer vous avés doncq' envye,
448 Reformés les premiers vos biens et vostre vie,
Et alors le troupeau qui dessous vous vivra,
Reformé comme vous, de bon cueur vous suivra.
Vous, Juges des cités, qui d'une main egalle
452 Devriés administrer la justice royalle,
Cent et cent fois le jour mettés devant vos yeux
Que l'erreur qui pullule en nos seditieux
Est vostre seule faute : et sans vos entreprises
456 Que nos villes jamais n'eussent esté surprises.
Si vous eussiés puny par le glaive trenchant
Le Huguenot mutin, l'heretique mechant,
Le peuple fust en paix, mais vostre connivence [28]
460 En craignant a perdu les villes et la France.
Il faut sans avoir peur des Princes ny des Roys,
Tenir droit la ballance, et ne trahir les loix
De Dieu, qui sur le fait des justices prend garde,
464 Et assis aux sommets des cités vous regarde.

Il perse vos maisons de son œil tout voyant,
Et grand juge il cognoist le juge forvoyant
Par present alleché, ou celuy qui par crainte
468 Corrompt la majesté de la justice saincte.
Et vous, Nobles aussi, mes propos entendez,
Qui faucement seduicts, vous estes debandés
Du service de Dieu, vueillés vous recognoistre,
472 Servés vostre pays, et le Roy vostre maistre,
Posés les armes bas : esperés vous honneur
D'avoir osté le Sceptre au Roy vostre Seigneur ?
Et d'avoir derobbé par armes la province
476 D'un jeune Roy mineur, vostre naturel prince ?
Vos peres ont receu de nos Roys ses ayeux
Les honneurs et les biens qui vous font glorieux,
Et d'eux avés receu en tiltre la noblesse,
480 Pour avoir dessoubs eux monstré vostre proesse,
Soit chassant l'Espaignol ou combatant l'Anglois,
Afin de maintenir le Sceptre des François :
Vous mesmes aujourd'huy le voulés vous destruire,
484 Apres que vostre sang en a fondé l'Empire ?
Telle fureur n'est point aux Tygres ny aux Ours,
Qui s'entraiment l'un l'autre, et se donnent secours,
Et pour garder leur race en armes se remuent :
488 Les François seullement se pillent et se tuent,
Et la terre en leur sang bagnent de tous costés,
Afin que d'autre main ils ne soyent surmontés.
La foy (ce dittes vous) nous fait prendre les armes :
492 Si la religion est cause des alarmes,
Des meurtres et du sang que vous versés icy,
Hé ! qui de telle foy voudroit avoir soucy,
Si par plomb, et par feu, par glaive, et poudre noyre,
496 Les songes de Calvin vous voulés faire croire ?
Si vous eussiés esté simples comme davant,
Sans aller les faveurs des Princes poursuivant,
Si vous n'eussiés parlé que d'amender l'Eglise,
500 Que d'oster les abus de l'avare prestrise,
Je vous eusse suivy, et n'eusse pas esté

Le moindre de ceux là qui vous ont escouté.
Mais voyant vos cousteaux, vos soldars, vos [gendarmes,
504 Voyant que vous plantés vostre foy par les armes,
Et que vous n'avés plus ceste simplicité
Que vous portiés au front en toute humilité,
J'ay pensé que Satan, qui les hommes attise
508 D'ambition, estoit chef de vostre entreprise.
L'esperance de mieux, le desir de vous voir
En dignité plus haute, et plus grands en pouvoir,
Vos haines, vos discords, vos querelles privées,
512 Sont cause que vos mains sont de sang abreuvées,
Non la religion, qui sans plus ne vous sert
Que de voille soubs qui vostre fard est couvert.
Et vous Nobles aussi [29], qui n'avés renoncée
516 La foy, de pere en fils qui vous est annoncée,
Soutenés vostre Roy, mettés luy derechef
Le Sceptre dans la main, et la couronne au chef,
N'espargnés vostre sang, vos biens ny vostre vie:
520 Heureux celuy qui meurt pour garder sa patrie.
Vous peuple, qui du coultre, et de beufs accouplés
Fendés la terre grasse, et y semés des bleds,
Vous Marchans, qui allés les uns sur la marine,
524 Les autres sur la terre, et de qui la poitrine
N'a humé de Luther la secte ny la foy,
Monstrés vous à ce coup bons serviteurs du Roy.
Et vous sacré troupeau, sacrés mignons des Muses,
528 Qui avés au cerveau les sciences infuses,
Qui faittes en papier luire vos noms icy,
Comme un Soleil d'esté de rayons esclarcy:
De nostre jeune Prince escrivés la querelle
532 Et armés Apollon et les Muses pour elle.
Toy Paschal [30], qui as fait un œuvre si divin,
Ne le veux tu point mettre en evidence, à fin
Que le peuple le voye, et l'appreigne, et le lise,
536 A l'honneur de ton Prince, et de toute l'Eglise?
Et bien! tu me diras, aussi tost qu'ils verront

Nos escripts imprimés, soudain ils nous tueront :
Car ils ont de fureur l'ame plus animée
540 Que freslons en un chesne estouffés de fumée.
Quand à mourir, Paschal, je suis tout resolu,
Et mourray par leurs mains si le ciel l'a voulu,
Si ne veux je pourtant me retenir d'escrire,
544 D'aymer la verité, la prescher et la dire.
Je sçay qu'ils sont cruels et tirans inhumains :
N'agueres le bon Dieu me sauva de leurs mains,
Apres m'avoir tiré cinq coups de harquebuse :
548 Encor' il n'a voulu perdre ma pauvre muse,
Je vis encor', Paschal, et ce bien je reçoy
Par un miracle grand que Dieu fist de sur moy [31].
Je meurs quand je les voy ainsi que harengeres
552 Jetter mille brocars de leurs langues legeres,
Et blasphemer l'honneur des Seigneurs les plus haults,
D'un nom injurieux de Guisars et Papaux.
Je meurs quand je les voy par troupes incogneues
556 Marcher aux carrefours ou au milieu des rues,
Et dire que la France est en piteux estat,
Et que les Guisiens auront bien tost le mat [32].
Je meurs quand je les voy enflés de vanteries,
560 Semant de toutes pars cent mille menteries,
Et deguiser le vray par telle authorité
Que le faux controuvé semble estre verité,
Puis reserrer l'espaule, et dire qu'ils depleurent
564 Le malheur de la guerre, et de ceux qui y meurent,
Asseurans pour la fin que le grand Dieu des cieux
Les fera, quoy qu'il tarde, icy victorieux.
Je suis plain de despit quand les femmes fragilles
568 Interpretent en vain le sens des Evangilles,
Qui debvroient mesnager et garder leur maison :
Je meurs quand les enfans qui n'ont point de raison
Vont disputant de Dieu qu'on ne sçaurait comprendre,
572 Tant s'en faut qu'un enfant ses secrets puisse entendre.
Je suis remply d'ennuy, de dueil et de tourment,
Voyant ce peuple icy des presches si gourmand,

Qui laisse son estau, sa boutique, et charrue,
576 Et comme furieux par les presches se rue
D'un courage si chaud qu'on ne l'en peut tirer,
Voire en mille morceaux le deust on dechirer.
Ulysse à la parfin chassa ses bandes sottes
580 A grands coups de baston, de la douceur des Lottes[33],
Qui oublioient leur terre, et au bort estranger
Vouloient vivre et mourir pour les Lottes manger :
Mais ny gleve ny mort ne retient cette bande,
584 Tant elle est du sermon des ministres friande :
Brief elle veut mourir, apres avoir gousté
D'une si dommageable et folle nouveauté.
J'ay pitié quand je voy quelque homme de boutique,
588 Quelque pauvre artizan devenir heretique,
Mais je suys plain d'ennuy et de dueil quand je voy
Un homme bien gaillard abandonner sa foy,
Quand un gentil esprit pipé huguenotise,
592 Et quand jusque à la mort ce venin le maistrise.
Voyant cette escriture ils diront en courroux :
« Et quoy, ce gentil sot escrit doncq' contre nous !
Il flatte les Seigneurs, il fait d'un diable un ange.
596 Avant qu'il soit long temps on luy rendra son change[34],
Comme à Villegaignon[35] qui ne s'est bien trouvé,
D'avoir ce grand Calvin au combat éprouvé. »
Quand à moy je suis prest, et ne perdray courage,
600 Ferme comme un rocher, le rampart d'un rivage,
Qui se mocque des vens, et plus est agité
Plus repousse les flots, et jamais n'est donté
Au moins concedés nous vos previlleges mesmes !
604 Puis que vous dechirés les dignités supremes
Des Papes, des Prelats par mots injurieux,
Ne soyés, je vous pry, de sur nous envieux,
Et ne trouvés mauvais, si nos plumes s'aguisent
608 Contre vos Predicans qui le peuple seduisent :
A la fin vous voyrés, apres avoir osté
Le chaut mal qui vous tient, que je dy verité.
Vous, Prince genereux, race du sang de France[36],

612 Dont le tyge royal, de ce Roy print naissance
Qui pour la foy Chrestienne outre la mer passa,
Et sa gloire fameuse aux Barbares laissa,
Si vous n'aviez les yeux aggravez d'un dur somme,
616 Vous cognoistriez bien tost que la fraude d'un homme
Bany de son pays [37] l'esprit vous a pipé,
Et des liens d'honneur par tout enveloppé.
Il vous enfle le cueur d'une vaine esperance :
620 De gaigner nostre Empire il vous donne asseurance,
Il vous promet le monde, et vous Prince tresbon,
Né du sang inveincu des Seigneurs de Bourbon,
L'oreille vous tendez à ces promesses vaines,
624 Qui s'enflent tout ainsi comme les balles plaines [38],
Mais si d'un coup de pied quelqu'un les va crevant
L'enfleure fait un bruit, et n'en sort que du vent.
Puis vous qui ne sçaviés (certes dire je l'ose)
628 Combien le commander est une douce chose,
Vous voyant obey de vingt mille soldars,
Voyant floter pour vous aux champs mille estandars,
Voyant tant de Seigneurs qui vous font tant d'homages,
632 Voyant de tous costés bourgs, cités, et villages
Obeir à vos loix, et vous nommer veinqueur,
Cela, Prince tresbon, vous fait grossir le cueur.
Ce pendant ils vous font un Roy de tragedie,
636 Exerceant dessoubs vous leur malice hardye,
Et se couvrant de vous, Seigneur, et de vos bras,
Ils font cent mille maux, et ne le sçavez pas :
Et ce qui plus me deult, c'est qu'encores ils disent,
640 Que les anges de Dieu par tout les favorisent.
De tel arbre tel fruit, ils sont larrons, brigans,
Inventeurs, et menteurs, vanteurs, et arrogans,
Superbes, soupçonneux. Au reste je ne nye
644 Qu'on ne puisse trouver en leur tourbe infinie
Quelque homme bon et droit, qui garde bien sa foy :
Telle bonté ne vient pour croire en telle loy,
Ains pour estre bien né, car s'il fust d'avanture
648 Un Turc, il garderoit cette bonne Nature.

Je cognois un seigneur, las! qui les va suivant,
Duquel jusque à la mort je demourray servant[39],
Je sçay que le Soleil ne voit ça bas personne
652 Qui ait le cueur si bon, la nature si bonne,
Plus amy de vertu, et tel je l'ay trouvé
L'ayant en mon besoing mille fois esprouvé:
En larmes et soupirs, Seigneur Dieu, je te prie
656 De conserver son bien, son honneur, et sa vie.
Rien ne me fache tant que ce peuple batu,
Car bien qu'il soit tousjours par armes combatu,
Froissé, cassé, rompu, il caquette et groumelle
660 Et tousjours va semant quelque fauce nouvelle:
Tantost il a le cueur superbe et glorieux,
Et dict qu'un escadron des Archanges des cieux
Viendra pour son secours, tantost la Germanie
664 Arme pour sa deffence une grand compagnie,
Et tantost les Anglois le viennent secourir,
Et ne voit ce pendant comme on le faict mourir,
Tué de tous costés: telle fievre maline
668 Ne se pourroit guarir par nulle medecine.
Il veut tantost la paix, tantost ne la veut pas,
Il songe, il fantastique, il n'a point de compas,
Tantost enflé de cueur, tantost bas de courage,
672 Et sans prevoir le sien predit nostre dommage.
Au reste de parolle il est fier et hautain,
Il a la bouche chaude, et bien froide la main,
Il presume de soy, mais sa folle pensée
676 Comme par un Destin est tousjours renversée.
Que diroit on de Dieu si luy benin et doux
Suyvoit vostre party, et combatoit pour vous?
Voulés vous qu'il soit Dieu des meurtriers de ses Papes,
680 De ces briseurs d'autels, de ces larrons de chapes,
Des volleurs de calice[40]? ha! Prince, je sçay bien
Que la plus grande part des prebstres ne vaut rien,
Mais l'eglise de Dieu est saincte et veritable,
684 Ses misteres sacrés, et sa voix perdurable.
Prince, si vous n'aviés vostre rang oublié,

Et si vostre œil estoit tant soit peu delié,
Vous cognoistriés bien tost que les Ministres vostres
688 Sont (certes je le sçay) plus meschans que les nostres :
Ils sont simples d'habits, d'honneur ambitieux,
Ils sont doux au parler, le cueur est glorieux,
Leur front est vergongneux, leurs ames eshontées,
692 Les uns sont Apostats, les autres sont Athées,
Les autres par sur tous veullent le premier lieu :
Les autres sont jaloux du Paradis de Dieu,
Ils le serrent pour eux, et pour ceux qui les suivent :
696 Les autres sont menteurs, sophistes qui estrivent
De la parolle saincte, et en mille façons
Tourmentent l'Evangille et en font des chansons.
Dessillés vous les yeux, Prince tresmagnanime,
700 Et lors de tels gallans vous ferés peu d'estime,
Recherchés leur jeunesse, et comme ils ont vescu,
Et vous ne serés plus de tels hommes veincu,
Prince tresmagnanime et courtois de nature,
704 Ne soyés offencé lisant cette escripture,
Je vous honore et prise, et estes le Seigneur
Auquel j'ay desiré plus de biens et d'honneur,
Comme vostre subject[41], ayant pris ma naissance
708 Où le Roy vostre frere avoit toute puissance.
Mais l'amour du pays, et de ses loix aussi,
Et de la verité, me fait parler ainsi.
Je veux encor parler à celuy qui exerce
712 Dessous vostre grandeur la justice perverse.
Quelle loy te commande, ô barbare incensé,
De punir l'innocent qui n'a point offencé ?
Quel Tygre, quel Lyon ne trembleroit de creinte
716 De condamner à mort une innocence saincte ?
Qu'avoit commis Sapin, conseiller d'equité[42],
Dont l'honneur, la vertu, les meurs, l'integrité,
Fleurissoient au Palais comme parmy le voile
720 De la nuit tenebreuse une flambante estoille ?
Tu diras pour responce : « On pend mes compagnons :
De rendre la pareille icy nous enseignons,

Et peu nous soucions de tort ny de droiture,
724 Pourveu que nous puissions revenger nostre injure. »
Ha ! responce d'un Scythe, et non pas d'un Chrestien,
Lequel doit pour le mal tousjours rendre le bien,
Par mines seulement Chrestien tu te descueuvres,
728 Je dy Chrestien de bouche, et Scythe par les œuvres.
O bien heureux Sapin, vray martyr de la foy,
Tel est au rang des Saincts qui n'est plus Sainct que toy,
Les œillets et les liz, comme pour couverture,
732 Puissent tousjours fleurir dessus ta sepulture.
Prince, souvenez vous que vos freres sont mors
Outre le naturel, par violens effors,
Et que vostre maison maintesfois a sentie
736 La grande main de Dieu sus elle apesantie.
Et pource accordés vous avecques vostre aisné
Charles [43], à qui le ciel a permis et donné
La vertu de remettre en faveur vostre race,
740 Et luy faire tenir son vray rang et sa place.
Si vous estiez icy deux moys aupres du Roy,
Vous reprendriés soudain vostre premiere Loy,
Et auriés en horreur ceste tourbe mutine,
744 Qui vous tient apasté de sa folle doctrine.
Ha Prince, c'est assés, c'est assés guerroyé,
Vostre frere par vous au sepulchre envoyé,
Les playes dont la France est par vous affligée,
748 Et les mains des larrons dont elle est saccagée,
Les loix et le pays si riche et si puissant,
Depuis douze cens ans aux armes fleurissant,
L'extreme cruauté des meurtres et des flammes,
752 La mort des jouvenceaux, la complainte des femmes,
Et le cry des vieillards qui tiennent embrassés
En leurs tremblantes mains leurs enfans trespassés,
Et du peuple mangé [44] les souspirs et les larmes,
756 Vous devroyent emouvoir à mettre bas les armes :
Ou bien s'il ne vous plaist selon droit et raison
Desarmer vostre force, oyés mon oraison.
Vous Princes conducteurs de nostre saincte armée,

760 Royal sang de Bourbon, de qui la renommée
Se loge dans le ciel : vous freres grands et fors,
Sacré sang Guisian, nos rempars et nos fors,
Sang qui fatallement en la Gaulle te monstres,
764 Pour domter les mutins comme Hercule les Monstres,
Et vous Montmorency, sage Nestor François,
Fidelle serviteur de quatre ou de cinq Roys,
Qui merités d'avoir en memoire eternelle
768 Ainsi que du Guesclin une ardante chandelle.
Vous d'Anville son fils, saige vaillant et preux,
Vous, Seigneurs, qui portés un cueur chevaleureux,
Que chacun à la mort fortement s'abandonne,
772 Et de ce jeune Roy redressés la couronne !
Redonnez luy le sceptre, et d'un bras indonté
Combatez pour la France et pour sa liberté,
Et ce pendant qu'aurez le sang et l'ame vive,
776 Ne souffrez qu'elle tombe en misere captive.
Souvenez vous, Seigneurs, que vous estes enfans
De ces peres jadis aux guerres triomphans,
Qui pour garder la foy de la terre Françoise
780 Perdirent l'Albigeoise et la secte Vaudoise[45],
Contemplés moy vos mains, vos muscles et vos bras,
Pareilles mains avoyent vos peres aux combats,
Imités vos ayeux afin que la noblesse
784 Vous anime le cueur de pareille prouesse.
Vous Guerriers asseurés, vous Pietons, vous Soldars,
De Bellonne conceus, jeune race de Mars[46],
Dont les fraiches vertus par la Gaulle fleurissent :
788 N'ayés peur que les bois leurs fueilles convertissent
En huguenots armés, ou comme les Titans,
Ils naissent de la terre en armes combatans.
Ne craignés point aussi les troupes d'Allemaigne,
792 Ny ces Reistres mutins qu'un François accompagne,
Ils ne sont point conceus d'un fer ny d'un rocher,
Leur cueur se peut navrer, penetrable est leur chair,
Ils n'ont non plus que vous ny des mains ni des jambes,
796 Leurs glaives ne sont point acerés dans les flambes

Des eaux de Flegeton[47], ils sont subjects aux coups,
Des femmes engendrés, et mortels comme nous.
Ne craignés point aussi, vous bandes martialles,
800 Les coups effeminés des Ministres si palles,
Qui font si triste mine, et qui tournent aux cieux,
En faisant leurs sermons, la prunelle des yeux.
Mais ayés forte picque, et dure et forte espée,
804 Bon jacque bien cloué, bonne armeure trempée,
La bonne targue au bras, au corps bons corcellets,
Bonne poudre, bon plomb, bon feu, bons pistollets,
Bon morion en teste, et sur tout une face
808 Qui du premier regard vostre ennemy déface.
Vous ne combattés pas (soldars) comme autresfois
Pour borner plus avant l'Empire de vos Roys,
C'est pour l'honneur de Dieu, et sa querelle saincte,
812 Qu'aujourd'huy vous portés l'espée au costé sceinte,
Je dy pour ce grand Dieu qui bastit tout de rien,
Qui jadis affligea le peuple Egyptien,
Et nourrit d'Israel la troupe merveilleuse
816 Quarente ans aux deserts de Manne savoureuse,
Qui d'un rocher sans eau les eaux fit undoyer,
Fit de nuit la collonne ardante flamboyer
Pour guider ses enfans par mons et par vallées,
820 Qui noya Pharaon soubs les ondes salées,
Et fit passer son peuple (ainsi que par bateaux)
Sans danger, à pied sec par le profond des eaux.
Pour ce grand Dieu, soldars, les armes avés prises
824 Qui favorisera vous et vos entreprises,
Comme il fist Josué, par le peuple estranger:
Car Dieu ne laisse point ses amys au danger[48].
Dieu tout grand et tout bon qui habites les nues
828 Et qui cognois l'autheur des guerres advenues,
Dieu qui regardes tout, qui vois tout et entends,
Donne, je te suply, que l'herbe du Printemps
Si tost parmy les champs nouvelle ne fleurisse,
832 Que l'auteur de ces maux au combat ne perisse[49],
Ayant le corcelet d'outre en outre enfoncé

D'une picque ou d'un plomb fatallement poussé.
Donne que de son sang il enyvre la terre,
836 Et que ses compaignons au millieu de la guerre
Renversés à ses pieds, haletans et ardans
Mordent de sur le champ la poudre entre leurs dens,
Estendus l'un sur l'autre, et que la multitude
840 Qui s'asseure en ton nom, franche de servitude,
De fleurs bien couronnée, à haute voix, Seigneur,
Tout à l'entour des morts celebre ton honneur,
Et d'un cantique sainct chante de race en race
844 Aux peuples avenir tes vertus et ta grace.

VII

RESPONCE AUX INJURES ET CALOMNIES
DE JE NE SÇAY QUELS PREDICANS ET MINISTRES DE GENEVE (1563)

I

EPISTRE AU LECTEUR

Cinq semaines apres la mort de feu Monseigneur le Duc de Guise [1], me furent envoyez de la part d'un mien amy, troys petits livres, lesquels à ce que je puys entendre, avoient esté segrettement composez deux moys au
5 paravant par quelques ministreaux ou secretaires de semblable humeur, et depuis decouvers, publiez, et imprimez à Orleans contre moy, ausquels, comme par contrainte, j'ay respondu en ce present livre [2]. Attestant Dieu et les hommes, que jamais je n'eu desir ny volonté d'offencer
10 personne, de quelque qualité qu'elle soit, si de fortune il ne m'est advenu d'escrire choses, lesquelles n'estoient incogneues seulement aux petiz enfans, tant s'en faut qu'elles le fussent des historiographes de nostre temps, qui sans passion ont deliberé rendre de point en point
15 fidelle tesmoignage de nos guerres civilles, à la posterité. Bien est vray que mon principal but, et vraie intention, a toujours esté de taxer et blasmer ceux, qui soubs ombre de l'Evangille (comme les hommes non passionnez pourront facillement cognoistre par mes œuvres) ont

commis des actes tels, que les Scythes n'oseroient ny ne voudroient tant seulement avoir pensé. Donq', quiconque sois, predicant, ou autre, qui m'as voulu malheureusement calomnier, je te supplye de prendre en gré cette response, t'assurant que si j'avois meilleure cognoissance de toy, que tu n'en serois quitte à si bon marché, et au lieu de quinze ou seze cent vers que je t'envoye pour rechaufer ta colere, je ferois de ta vie une *Iliade* toute entiere : car je me trompe, ou ton froq jetté aux horties, ou quelque memorable imposture, ou autre chose de pareille farine, me fourniroient argumens assez suffisans pour t'imprimer sur le front une marque qu'aisement tu ne pourrois effacer. Je ne fais point de doute que ta malice ne se soit maintesfois efforcée de vouloir soubs couleur de belles parolles irriter les Princes et Seigneurs contre moy, interpretant faucement mes escris : voyre jusques à faire courir un bruit par cette ville, que leur grandeur me brassoit je ne sçay quoy de mauvaise digestion. Quand à moy je les estime Princes et Seigneurs si magnanimes, et genereux, que je n'en croy rien, m'asseurant qu'ils ne voudroient estre ministres de la mechante volonté d'un si petit galland que toy : aussi auroient-ils bien peu de louange d'offencer un gentilhomme de bonne race et de bonne part comme je suis, cogneu et tenu pour homme de bien (si ce n'est de toy ou de tes semblables) par toute la France, sans premierement sçavoir de sa propre bouche ses raisons et la verité. Et pour ce, Predicant mon amy, je te conseille de laisser desormais en repos telz Seigneurs, dont les grandeurs, intentions, et entreprises, ne dependent de la querelle de mes escrits ny des tiens, sans provoquer davantage leur courroux contre moy, qui leur suis, plus que tu n'es, treshumble et tresobeissant serviteur [3]. Or comme je ne suis pas si mal accompagné de jugement et de raison que je m'estime de leur calibre, aussi faut il que tu penses, Predicant, que je ne suis rien moins que toy [4], quel que tu sois. Le camp est ouvert, les lices sont dressées, les armes d'encre et de papier sont faciles à trouver : tu n'auras point faute de passetemps. Mais à la vérité je voudrois que pour esprouver mes forces, tu m'eusses presenté un plus rude champion. Car j'ay le courage tel, que j'ayme presque mieux quitter les armes que de combattre contre un moindre, dont la victoire ne me scauroit aporter ny plaisir ni honneur[5]. Suppliant de rechef celuy qui se sentira si gaillard que d'entrer en la barriere contre moy, ne vouloir trouver estrange si tout ainsi qu'en pleine liberté il tonne des mots injurieux contre le Pape, les Prelats et toute l'ancienne constitution de l'Eglise, je puisse aussi de mon costé parler librement contre sa doctrine, Cenes[6], Presches, Mariages, predestinations fantastiques et songes monstrueux de Calvin, qu'un tas de predicantereaux (ou sollicitez par leurs femmes, ou espoinçonnez de fain, ou curieux de remuer menage) ont recuilly à Geneve pour venir apres ensorceller la jeunesse de France, et (ce qui est encore plus dommageable) une bonne partie de nos hommes qui faisoient montre sur tous les autres d'avoir le cerveau mieux fait, plus rusez aux affaires, et moins studieux de toute pernicieuse nouveauté. Or pour abreger, Predicant, un Turc, un Arabe me permetroit facilement cette licence, et me donneroit avecques toute modestie congé de luy respondre. Toy doncques qui te vantes estre Chrestien reformé, à meilleure raison accorderas ma requeste, afin que ta cause et la mienne soit cogneue de tous, et que l'honneur soit rendu à celuy de nous deux qui l'aura mieux merité. Adieu Predicant mon amy.

DES DIVERS EFFECTS
de quatre choses qui sont en frere Zamariel[7] Predicant et Ministre de Geneve.

Ton erreur, ta fureur, ton orgueil, et ton fard,
Qui t'esgare, et t'incense, et t'enfle, et te deguise,
(Devoyé, fol, superbe, et feinct contre l'Eglise)
Te rend confus, felon, arrogant, et cafard.

II

RESPONCE

DE

P DE RONSARD, GENTILHOMME
VANDOMOIS, AUX INJURES ET CALOMNIES
DE JE NE SCAY QUELS PREDICANS
ET MINISTRES DE GENEVE

Miserable moqueur (qui n'avois point de voix,
Muet comme un poisson, il n'y a pas deux mois,
Et maintenant enflé par la mort d'un seul homme) [1]
4 Tu mesdis de mon nom que la France renomme,
Abbayant ma vertu, et faisant du bragard,
Pour te mettre en honneur tu te prens à Ronsard.
Ainsi trop sottement la puissance liquide
8 De ce fleuve escorné combatit contre Alcide [2].
Ton cueur, bien qu'arrogant, de peur debvoit faillir
Au bruit de mon renom, me voulant assaillir,
Laborieux athlete, et poudreux d'exercice,
12 Qui ne tremble jamais pour un petit novice :
Car à voir tes escris tu m'as tout desrobé,
Et du faix du larcin ton dos est tout courbé,
Tu en rougis de honte, et en ta conscience
16 Pere tu me congnois d'une telle science.
Et si quelque bonté se loge dans ton cueur,
Tu sens d'une Furie une lente rigueur,
Un vengeur aiguillon, qui de dueil t'espoinçonne
20 D'avoir osé blasmer une telle personne,
Sachant bien que tu mens, et que je ne suis point
Des vices entaché dont ta rage me point.
Or je te laisse là, car je ne veux descendre
24 En propos contre toy, ny moins les armes prendre,
Tu es faible pour moy, si je veux escrimer

Du baston qui me fait par l'Europe estimer.
Mais si ce grand guerrier et grand soldat de Baize
28 Se presente au combat, mon cueur saultera d'aise[3],
D'un si fort ennemy je seray glorieux,
Et Dieu scait qui des deux sera victorieux :
Hardy je planteray mes pas dessus l'arene,
32 Je roydiray les bras souflant à grosse halene,
Et pressant, et tournant, suant, et haletant,
Du matin jusque au soir je l'yray combatant,
Sans deslier des mains ny cestes ny courayes
36 Que tous deux ne soyons enyvrez de nos playes.
J'ay dequoy me deffendre et dequoy l'irriter
Au combat, si sa plume il veut exerciter,
Je scay que peut la langue et Latine et Gregeoise,
40 Je suis maistre joueur de la Muse Françoise,
Vienne quand il vouldra, il me verra sans peur
Dur comme un fer tranchant qui s'affine au labeur,
Vif, ardant, et gaillard, sans trembler soubz l'audace
44 D'un vanteur qui par aultre au combat me menace.
C'est luy seul que je veux aux champs escarmoucher,
Je luy seray le Tan qui le fera moucher,
Furieux, incensé, comme par la prairie
48 On voit un grand Taureau agité de furie,
Qui court et par rocher, par bois et par estang
Quand le Tan importun luy tourmente le flanc.
Qui a point veu trembler es vieilles Tragedies
52 Un Oreste estonné de l'horreur des Furies,
Qui du meurtre commis ja desja se repent,
Qui devant meint flambeau, meint foet et meint serpent
Et meint crin coulevreux[4], s'en fuit parmy la sceine,
56 Portant dessus le front le remors de sa peine ?
Tel, tel je le rendray par mes vers, furieux,
Et lui seray toujours un fantaume à ses yeux.
Mais certes contre toy j'ay perdu le courage,
60 Qui as rapetassé de mes vers ton ouvrage,
Je m'assaudrois moymesme, et ton larcin a faict
/Que je suis demeuré content et satisfaict[5].

Toutesfois brevement il me plaist de respondre
64 A quelqu'un de tes points, lesquels je veux confondre:
Et si tu as souci d'ouyr la verité,
Je jure du grand Dieu l'immense deité
Que je te diray vray, sans fard ny sans injure,
68 Car d'estre injurieux ce n'est pas ma nature:
Je te laisse ce droit duquel tu as vescu,
Et veux quand à ce point de toy estre veincu.
Or sus, mon frere en Christ, tu dis que je suis Prestre [6]:
72 J'ateste l'Eternel que je le voudrois estre,
Et avoir tout le chef et le dos empesché
Desoubs la pesanteur d'une bonne Evesché:
Lors j'aurois la couronne à bon droit sur la teste,
76 Qu'un rasoer poliroit le jour d'une grand feste,
Ouverte, grande, blanche et large jusque au front,
En forme d'un croissant qui tout se courbe en rond.
Jadis ce grand Eumolpe, et ce grand prince Orphée [7],
80 Qui avoient d'Apollon l'ame toute echaufée,
Qui l'antique magie aporterent aux Grecz,
Qui des flambeaux du ciel cogneurent les secrets,
Qui lisoient dans le cueur des bestes les presages,
84 Qui des oyseaux pendus pratiquoient les langages,
Qui faisoient apres eux, soubs l'accord de leurs voix,
Bondir comme chevreaux les rochers et les bois,
Qui du vouloir de Dieu estoient les interpretes,
88 Furent prestres sacrez, pontifes, et prophettes.
Les roys de ce pays que le débord du Nil
D'un limon bien heureux rend preignant et fertil,
Estoyent prestres mittrez, et ceux qui l'Assyrie
92 Tenoient obeissante à leur grand'signeurie.
Je voudrois l'estre ainsi: j'aurois le pas posé.
Les doigtz escarbouclez [8], le menton bien razé,
La chappe à haut collet, et vray messire Pierre [9]
96 J'yrois signant le ciel, les ondes et la terre.
Je n'yrois pas chanter sur la tombe des mortz,
Entant dedans ma main un aspergés retors
De sauge ou de cypres, ce seroient mes vicaires:

100 **Je ferois tous les** jours les sermons ordinaires,
Je dirois la grand messe, et le temple vosté
Retentiroit desoubs mon chant regringoté.
Je serois reveré, je tiendrois bonne table,
104 Non vivant comme toy, ministre miserable,
Pauvre sot Predicant, à qui l'ambition
Dresse au cueur une roüe, et te fait Ixion,
Te fait dedans les eaux un alteré Tantalle,
108 Te fait souffrir la peine à ce volleur egalle
Qui remonte et repousse aux enfers un rocher [10],
Dont tu pris ta naissance, et qui voudroit chercher
Dedans ton estomaq, qui d'un rocher aproche,
112 En lieu d'un cueur humain, on voiroit une roche:
Tu es bien malheureux d'injurier celuy
Qui ne te fist jamais oultrage ny ennuy.
Mais afin qu'on cognoisse au vray qu'en tes escolles
116 Il n'y a que brocars, qu'injures, et parolles,
Que nulle charité ta doctrine ne sent,
Disciple de Satan tu blasmes l'innocent.
Laisse respondre ceux que je touche en mon livre,
120 Ils ont l'esprit gaillard, ils me sauront poursuivre
De couplet à couplet, tu leur fais deshonneur
D'estre de sur leur gloire ainsi entrepreneur.
Tu fais du bon valet: ou l'esprit fantastique
124 De mes Daimons a pris ton cerveau lunatique,
Qui te rend Lou-garou, car à ce que je voy
Tu as veu les Espris encores mieux que moy:
Ou bien en relechant ma brusque poësie
128 La Panique fureur ta cervelle a saisie.
Si tu veux confesser que Lou-garou tu sois
Hoste melancoliq' des tombeaux et des croix,
Pour te donner plaisir vrayment je te confesse
132 Que je suis Prebstre ras, que j'ay dict la grand messe,
Mais davant que parler, il faut exorciser
Ton Daimon qui te faict mes Daimons [11] despriser.
Fuyés peuples, fuyés, que personne n'aproche,
136 Sauvés vous en l'Eglise, allés sonner la cloche

A son dru et menu : faittes flamber du feu,
Faittes un cerne en rond, murmurés peu à peu
Quelque saincte oraison, et mettés en la bouche
140 Sept ou neuf grains de sel, de peur qu'il ne vous touche.
Voyleci, je le voy : escumant, et bavant,
Il se roulle en arriere, il se roule en avant,
Afreux, hydeux, bourbeux : une espesse fumée
144 Ondoye de sa gorge en flammes alumée :
Il a le diable au corps : ses yeux cavés dedans
Sans prunelle et sans blanc, reluisent comme Ardens,
Qui par les nuicts d'hyver errent de sur les ondes,
148 Abreuvant dans les eaux leurs flames vagabondes :
Il a le museau tors, et le dos herissé,
Ainsi qu'un gros mastin des dogues pelissé.
Fuyés peuples, fuyés : non, attendés la beste,
152 Aportés ceste estolle, il faut prendre sa teste,
Et luy serrer le col, il faut semer espais
Sur luy de l'eau beneiste avecq' un aspergés,
Il faut faire des croix en long sur son échine.
156 Je tiens le Monstre pris, voyés comme il chemine
Sur les pieds de derriere, et comme il ne veut pas,
Rebellant à l'estolle, accompagner mes pas,
Sus sus, Prebstres, frappez desur la beste prise,
160 Que par force on le traine aux degrés de l'Eglise.
Ainsi le gros mastin des enfers fut trainé,
Quand il sentit son col par Alcide enchesné [12],
Mais si tost que du jour aperceut la lumiere,
164 Beant, il s'acula dedans une poussiere,
Et là tournant, virant son corps par les sablons
Tantost alloit avant, tantost à reculons.
Puis poussif se faisant trainer à toute force,
168 Avoit en mille neudz toute la chene entorce,
Tirant le col arriere : Hercule qui se mit
En couroux, estrangla le mastin qui vomit
Du gosier suffoqué une bave escumeuse,
172 Dont naquit l'Aconit herbe tresveneneuse.
Ainsi ce Lou-garou son venin vomira

Quand de son estomaq le diable s'en fuira.
Ha Dieu qu'il est vilain ! il rend desja sa gorge
176 Large comme un soufflet, le poumon d'une forge,
Qu'un boyteux marechal anime quand il faut
Fraper à tour de bras sur l'enclume un fer chauld.

Voyez combien d'humeurs differentes luy sortent
80 Qui de son naturel les qualitez raportent !
La rouge que voyla le fist presomptueux,
Ceste verte le fist mutin tumultueux,
Et ceste humeur noirastre et triste de nature
84 Est celle qui pipoit les hommes d'imposture,
La rousse que voyla le faisoit impudent,
Boufon, injurieux, brocardeur, et mordant,
Et l'autre que voicy visqueuse, espaisse, et noire,
88 Le rendoit par sur tous superbe au consistoire.
Je me fache de voir ce meschant animal
Vomir tant de venins : tout le cueur m'en fait mal.

Faites venir quelque homme expert en medicine
92 Pour l'abreuver du just d'une forte racine,
Si son mal doit garir, l'Helebore [13] sans plus
Garira son cerveau lunatique et perclus.

Je pense à voir son front qu'il n'a point de cervelle,
96 Je m'en vois luy sonder le nez d'une esprouvelle :
Certes il n'en a point, le fer est bien avant,
Et en lieu de cerveau son chef est plain de vent.
Helas j'en ay pitié, si faut il qu'on le traitte :
00 Il faut que chez Thony il face une diette,
Ou bien que le Greffier, comme un Astolphe, en bref
Luy souffle d'un cornet le sens dedans le chef [14].

S'il veut que la santé pour jamais luy revienne,
04 Il faut que par neuf jours seulement il s'abstienne
(Non pas de manger chair ny de boire du vin)
Mais de lire et de croire aux œuvres de Calvin,
Abjurer son erreur fauce et pernicieuse,
08 Ne trainer plus au corps une ame injurieuse,
Ne tourmenter plus Dieu d'opinions, et lors
Sa premiere santé luy rentr'a dans le corps.

Or sus changeon propos et parlon d'autre chose,
212 Tu dis qu'une sourdesse a mon oreille close,
Tu te mocques de moy, et me viens blasonner
Par un pauvre accident que Dieu me veut donner.
Nouvel Evangeliste, incensé, plain d'oultrage!
216 Vray enfant de Sathan, dy moy en quel passage
Tu trouves qu'un Chrestien (s'il n'est bien enragé)
Se doyve comme toy moquer d'un affligé?
Ta langue monstre bien aux brocards qu'elle rue,
220 Que tu portes au corps une ame bien tortue!
Quoy? est-ce le proffit et le fruit que tu fais
En preschant l'Évangille, où tu ne creuz jamais?
Que tu te moques bien de l'escripture sainte
224 Ayant le cueur mechant, et la parolle feinte!
Quoy? moquer l'affligé sans t'avoir irrité
Est-ce pas estre Athée et plain d'impieté?
Les Lyons Africans, les Tigres d'Hyrcanie
228 Ne couvent dans le cueur si grande felonnie!
Apren icy de moy que Dieu te punira,
Et, comme tu te ris, de toy il se rira:
Tu peux bien en mentant tromper nous pauvres hommes
232 Qui grossiers de nature et imbecilles sommes,
Non la fureur de Dieu, qui voit d'un œil profond
Ton cueur et tes pensers et scait bien quels ils sont.
On dit qu'à-haut du ciel, au davant de la porte,
236 Il y a deux tonneaux de differente sorte,
L'un est plain de tous biens, l'autre est plain de tous [maux,
Que Dieu respant ça bas sur tous les animaux [15]:
Il nous donne le mal avecques la main dextre,
240 Et le bien chichement avecques la senestre,
Si faut il prendre à gré ce qui vient de sa part,
Car sans nostre congé ses dons il nous depart.
Les poëtes premiers, dont la gloire cogneue
244 A defié les ans, avoient mauvaise veue,
Thamire, Tiresie, Homere, et cestuy là
Qui au pris de ses yeux contre Helene parla [16],

Et ceux de nostre temps à qui la Muse insigne
248 Aspire, vont portant la sourdesse pour signe,
Tesmoing est du Bellay qui comme moy fut sourd,
Dont l'honneur merité par tout le monde court.
Vrayment quand tu estois à Paris l'autre année
252 Descharné, deshalé, la couleur bazanée,
Et pasle tout ainsi qu'un Croissant enchanté,
J'eu pitié de te voir en ce point tormenté,
Et sans injurier la misere commune,
256 J'avois compassion de ta pauvre fortune.
Or, à ce qu'on disoit, ce mal tu avois pris
Travaillant au mestier de la belle Cypris [17],
Toutefois contemplant ta taille longue et droitte,
60 Ta main blanche et polye, et ta personne adroitte,
Te cognoissant gaillard, honeste, et gratieux,
Et faire sagement l'amour en divers lieux,
(Tu sçais si je di vray) je fis à Dieu priere
64 De te faire joüir de ta santé premiere,
Car te voyant ainsi, j'avois pitié de toy,
Tant s'en faut que l'Envie entrast jamais chés moy.
Tu m'accuses, cafard, d'avoir eu la verolle.
68 Un chaste Predicant de fait et de parolle
Ne debvroit jamais dire un propos si vilain.
Mais que sort il du sac? cela dont il est plain.
Au moins fay moi citer pour ouyr mes deffences!
72 Peut estre je diray des mots que tu ne penses,
Je t'aprendray comment tu te pourras guerir
Du mauvais reliquat lequel te fait mourir,
Et courtois envers toy, je te resoudray toute
76 L'humeur qui entretient tes nodus et ta goutte.
Voy tu ma charité qui te vient à propos?
Vrayment tu me fais tort, sans tes mechans propos
Je m'allois marier, mais ores nulle femme
80 Ne me veut espouser: ains par tout me diffame [18]!
Tu dis que je suis vieil, encore n'ai-je ateint
Trente et sept ans passés, et mon corps ne se plaint
D'ans ny de maladie, et en toutes les sortes

284 Mes nerfs sont bien tendus et mes venes bien fortes :
Et si j'ai le teint palle et le cheveil grison,
Mes membres toutesfois ne sont hors de saison.
Or cela n'est que jeu dont je ne fais que rire,
288 Et voudrois que ce fust le plus de ton medire.
Mais pourquoy semes tu si faucement de moy
Que je suis un Athée, infidelle et sans loy ?
Si tu es si ardent et si brullé d'envie
292 D'informer de mes meurs, de mon fait, de ma vie,
Je ne suis incogneu : tu pourras aisement
Sçavoir quel j'ay vescu dés le commencement.
J'ay suyvi les grands Roys, j'ay suyvi les grands Princes,
296 J'ay pratiqué les meurs des estranges provinces,
J'ay long temps escollier en Paris habité,
Là tu pourras sçavoir de moy la verité :
Lors tu pourras juger sans plus me faire injure
300 Par la seule raison, non par la conjecture.
Ne conclus plus ainsi : Ronsard est bien apris,
Il a veu l'Evangile, il a veu nos escris,
Et si n'est Huguenot : il est doncques Athée.
304 Telle conclusion est faucement getée,
Car tous les bons espris n'ensuivent point tes pas,
Et toutesfois sans Dieu vivans ils ne sont pas :
Telle injure redonde aux plus grands de l'Europe,
308 Dont à peine de mille un s'enroulle en ta trope.
Lequel est plus Athée ou de moy ou de toy,
De moy qui ay vescu tousjours tranquille et coy,
En la loy du pays, en l'humble obeissance
312 Des Roys, des Magistrats, et de toute Puissance,
Qui sans estre pipé d'une nouvelle erreur
N'ay mis par mes sermons les peuples en fureur ?
Ou toy qui en ouvrant le grand cheval de Troye,
316 As mis tout ce Royaume aux estrangers en proye [19] ?
As fait que le voisin a tué son voisin,
Le pere son enfant, le cousin son cousin,
Qui rends Dieu partial selon ta fantasie,
320 Qui es melancholique et plain de frenesie,

Qui fais de l'habille homme, et qui aux innocens
Interpretes, malin, l'Evangille à ton sens?
Qui as jusques aux os la commune oppressée[20]?
324 Et sans dessus-desoubs la France renversée?
Ainsi qu'on voit la mer quand l'Auton d'un costé
Lucte contre Aquilon au gosier indonté[21],
Tous deux à contre fil horriblant leur haleine
328 Du font jusques au haut bouleversent l'arene:
Un flot roulle deça, l'autre roulle dela,
L'autre suit, l'autre pousse, et du branle qu'il a
Fait marcher son voisin, à la fin plains de rage,
332 Cassez et renversez se rompent au rivage:
L'escume sur le dos des ondes se roüant,
Tournant, piroüettant au vent se va joüant:
Contre les grans rochers une tempeste aboye,
336 Meint tortu tourbillon, qui sur le bord tournoye,
Comme une Pyramide esleve dans les cieux
Le sablon qui le jour derobe de nos yeux.
Ainsi la France helas de tout malheur comblée
340 Par tes opinions erroit toute troublée,
Ja preste à se noyer: et sans l'Astre jumeau
De la Royne et du Prince, elle fust au tombeau.
Mais la paix que la Royne heureusement a faitte[22]
344 L'a remise en vigueur, et sa force a refaitte,
Comme une douce pluye en sa vertu remet
La fleur espanouye, à qui ja le sommet
Pendoit flaistry du chaut, quand l'herbe fanissante
348 Sent du soleil d'Esté l'ardeur la plus cuisante.
Je ne suis ny rocher, ny Tygre, ny Serpent
Mon regard contre bas brutalement ne pend,
J'ay le chef eslevé pour voir et pour cognoistre
352 De ce grand univers le seigneur et le maistre,
Car en voyant du ciel l'ordre qui point ne faut,
Je suis tresassuré qu'un Moteur est là haut,
Qui tout sage et tout bon gouverne cest empire,
356 Comme un Pilote en mer gouverne son navire:
Et que ce grand Palais si largement vosté

De son divin Ouvrier ensuit la volonté.
Or ce Dieu tout parfait, plain d'eternelle essence,
360 Tout remply de vertu, de bonté, de puissance,
D'immence majesté, qui voit tout, qui sçait tout,
Sans nul commencement, sans milieu, ne sans bout,
Dont la divinité tresroyalle et supresme
364 N'a besoin d'autre bien, sinon de son bien mesme,
Se commençant par elle et finissant en soy:
Bref ce Prince eternel, ce Seigneur et ce Roy,
Qui des peuples le pere et le pasteur se nomme,
368 Ayant compassion des miseres de l'homme,
Et desirant qu'il fust du peché triomphant,
En ce monde envoya son cher unique Enfant,
Eternel comme luy, de la mesme matiere,
372 Ayant du pere sien la gloire toute entiere.
Or ce fils bien aymé qu'on nomme Jesuschrist
(Au ventre virginal conceu du saint Esprit)
Vestit sa deité d'une nature humaine,
376 Et sans peché, porta de nos pechés la peine:
Publiquement au peuple en ce monde prescha,
De son pere l'honneur, non le sien, il chercha,
Et sans conduire aux champs ny soldats ny armées,
380 Fist germer l'Evangille es terres Idumées.
Il fut acompaigné de douze seulement,
Mal nourry, mal vestu, sans biens aucunement
(Bien que tout fut à luy de l'un à l'autre pole):
384 Il fut tresadmirable en œuvre et en parolle,
Aus mors il fit revoir la clarté de nos cieux,
Rendit l'oreille aux sours, aux aveugles les yeux,
Il soula de cinq pains les troupes vagabondes,
388 Il arresta les vens, il marcha sur les ondes,
Et de son corps divin, mortellement vestu,
Les miracles sortoient, tesmoings de sa vertu.
Le peuple qui avoit la cervelle endurcie
392 Le fist mourir en croix, suivant la prophetie,
Il fut mis au tombeau, puis il resuscita,
Puis porté dans le ciel à la dextre monta

De son pere là sus, et n'en doit point descendre
396 Visible, que ce monde il ne consume en cendre.
Quand veinqueur de la mort dans le ciel il passa,
Pour gouverner les siens une Eglise laissa
A qui donna pouvoir de lyer et dissoudre,
400 D'accuser, de juger, de damner et d'absoudre,
Promettant que toujours avecque elle seroit,
Et comme son espoux il ne la laisseroit.
Cette Eglise premiere en Jesuschrist fondée,
404 Pleine du Sainct Esprit, s'aparut en Judée,
Puis Sainct Pol, le vaisseau de grace et de sçavoir,
La fit ardentement en Grece recevoir,
Puys elle vint à Rome, et de là fut portée
408 Bien loing aux quatre pars de la terre habitée.
Ceste Eglise nous est par la tradition
De pere en fils laissée en toute nation
Pour bonne et legitime, et venant des Apostres
412 Seulle la confessons sans en recevoir d'autres.
Elle, pleine de grace et de l'esprit de Dieu,
Choisit quatre tesmoings S[ainct] Marc, et S[ainct]
[Mathieu,
Et S[ainct] Jehan, et S[ainct] Luc, et pour les faire croire
416 Aux peuples baptizez aprouva leur histoire.
Si tost qu'elle eut rangé les villes et les Roys
Pour maintenir le peuple elle ordonna des loys,
Et afin de coller les provinces unies
420 Comme un cyment bien fort fist des cerimonies,
Sans lesquelles long temps en toute region
Ne se pourroit garder nulle religion.
Certes il faut penser que ceux du premier age
424 Plus que ceux d'aujourdhuy avoient le cerveau sage,
Et que par ignorance ils n'ont jamais failly,
Car leur siecle n'estoit d'ignorance assailly.
Or cette Eglise fut des long temps figurée
428 Par l'Arche qui flottoit desur l'onde azurée,
Quand Dieu ne pardonnoit qu'aux hommes qui estoient
Entrés au fond d'icelle, et dans elle habitoient[23].

Le reste fut la proye et le jouët de l'onde,
432 Que le ciel desborda pour se vanger du monde.
Aussi l'homme ne peut en terre estre sauvé,
S'il n'est dedans le sein de l'Eglise trouvé,
Si comme un citoyen n'habite dedans elle,
436 Ou s'il cherche autre part autre maison nouvelle
Il est vray que le Temps qui tout change et destruit
A mille et mille abus en l'Eglise introduit [24],
Enfantés d'ignorance, et couvez soubs la targe
440 Des Prelats ocieux, qui en avoient la charge.
Je sçay que nos Pasteurs ont desiré la peau
Plus qu'ils n'ont la santé de leur pauvre tropeau :
Je sçay que des Abbés la cuisine trop riche
444 A laissé du Seigneur tomber la vigne en friche,
Je voy bien que l'yvraye estouffe le bon blé,
Et si n'ay pas l'esprit si gros ne si troublé
Que je ne sente bien que l'Eglise premiere
448 Par le temps a perdu beaucoup de sa lumiere.
Tant s'en faut que je vueille aux abus demeurer,
Que je me veus du tout des abus separer,
Des abus que je hay, que j'abhore, et mesprise :
452 Pourtant je ne me veus separer de l'Eglise,
Ny ne feray jamais, plustost par mille effors
Je voudrois endurer l'horreur de mille mors.
Comme un bon laboureur qui par sa diligence
456 Separe les chardons de la bonne semence,
Ainsi qui voudra bien l'Evangille avancer
Il faut chasser l'abus et l'Eglise embrasser,
Et ne s'en separer, mais fermement la suivre,
460 Et dedans son giron toujours mourir et vivre.
Si donc je suis Athée en suivant cette loy,
La faute est à mon pere, et le blasme est à moy
Tu dis en vomissant de sur moy ta malice
464 Que j'ay fait d'un grand bouc à Bachus sacrifice,
Tu mens impudemment, cinquante gens de bien
Qui estoient au banquet diront qu'il n'en est rien [25].
Muses qui habités de Pernasse la croppe,

468 Filles de Jupiter, qui allés neuf en trope,
Venés, et repoussés par vos belles chansons
L'injure faitte à vous et à vos nourrissons.
   Jodelle ayant gaigné par une voix hardie
472 L'honneur que l'homme grec donne à la Tragedie,
Pour avoir en haussant le bas stille françois,
Contenté doctement les oreilles des Roys,
La brigade qui lors au ciel levoit la teste [26]
476 (Quand le temps permettoit une licence honeste)
Honorant son esprit gaillard et bien apris,
Luy feit present d'un bouc, des Tragiques le pris.
   Ja la nape estoit mise et la table garnie
480 Se bordoit d'une saincte et docte compaignie,
Quand deux ou troys ensemble en riant ont poussé
Le pere du tropeau, à long poil herissé :
Il venoit à grands pas, ayant la barbe peinte :
484 D'un chapellet de fleurs la teste il avoit ceinte,
Le bouquet sur l'oreille, et bien fier se sentoit
Dequoy telle jeunesse ainsi le presentoit :
Puis il fust rejetté pour chose mesprisée
488 Apres qu'il eust servi d'une longue risée.
   De Baize, qui reluist entre vous tout ainsi
Qu'un Orion armé par le ciel obscurcy [27],
Que Dieu (ce dittes vous) en tous lieux acompaigne,
492 A bien fait sacrifice aux Muses d'une Taigne [28].
S'il a fait tel erreur, luy qui n'a rien d'humain,
Permettés que j'en face un autre de ma main.
   Sus, boufons et plaisans que la Lune gouverne [29],
496 Allés chercher un Asne aux montaignes d'Auvergne,
D'oreilles bien garny, et en mille façons
Couronnés luy le front de foin et de chardons,
Troussés vous jusque au coude, escorchés moy la beste,
500 Et de ce Predicant atachés à la teste
Les oreilles, ainsi que les avoit Midas,
Ce lourdaut Phrygien, qui grossier ne sceut pas
Estimer de Phebus les chansons et la Lyre,
504 Quand il blasma le bon et honora le pire :

Mais non laisse le là, je suis content assés
De cognoistre ses vers des miens rapetassés.
Tu te plains d'autre part que ma vie est lascive,
508 En delices, en jeux, en vices excessive,
Tu mens mechantement : si tu m'avois suivi
Deux moys, tu sçaurois bien en quel estat je vy :
Or je veux que ma vie en escrit aparoisse :
512 Afin que pour menteur un chacun te cognoisse.
M'esveillant au matin, davant que faire rien,
J'invoque l'Eternel, le pere de tout bien,
Le priant humblement de me donner sa grace,
516 Et que le jour naissant sans l'offenser se passe,
Qu'il chasse toute secte et tout erreur de moy,
Qu'il me vueille garder en ma premiere foy,
Sans entreprendre rien qui blesse ma province,
520 Treshumble observateur des loys et de mon Prince.
Apres je sors du lict, et quant je suis vestu
Je me renge à l'estude, et aprens la vertu,
Composant et lisant, suyvant ma Destinée,
524 Qui s'est dés mon enfance aux Muses enclinée :
Quatre ou cinq heures seul je m'areste enfermé,
Puis sentant mon esprit de trop lire assommé
J'abandonne le livre, et m'en vois à l'Eglise :
528 Au retour pour plaisir une heure je devise,
De là je viens disner, faisant sobre repas,
Puis je rends grace à Dieu : au reste je m'esbas :
Car si l'apresdinée est plaisante et sereine,
532 Je m'en vais promener tantost parmy la plaine,
Tantost en un village, et tantost en un boys,
Et tantost par les lieux solitaires et coys,
J'ayme fort les jardins qui sentent le sauvage,
536 J'ayme le flot de l'eau qui gazoille au rivage.
Là, devisant sur l'herbe aveq' un mien amy
Je me suis par les fleurs bien souvent endormy
A l'ombrage d'un saule, ou lisant dans un livre
540 J'ay cherché le moyen de me faire revivre [30],
Tout pur d'ambition et des soucis cuisans,

Miserables bourreaux d'un tas de mesdisans
Qui font (comme ravis [31]) les prophettes en France,
544 Pipant les grands Seigneurs d'une belle apparence.
Mais quand le ciel est triste et tout noir d'espesseur,
Et qui [32] ne fait aux champs ny plaisant ny bien seur,
Je cherche compagnie, ou je joüe à la prime,
548 Je voltige [33], ou je saute, ou je lutte, ou j'escrime,
Je di le mot pour rire, et à la verité
Je ne loge chés moy trop de severité.
J'ayme à faire l'amour, j'ayme à parler aux femmes,
552 A mettre par escrit mes amoureuses flames,
J'ayme le bal, la dance, et les masques aussi,
La musicque et le luth, ennemis du souci [34].
Puis quand la nuit brunette a rangé les estoilles
556 Encourtinant le ciel et la terre de voilles,
Sans soucy je me couche, et là levant les yeux,
Et la bouche et le cueur vers la voute des cieux,
Je fais mon oraison, priant la bonté haute
560 De vouloir pardonner doucement à ma faute.
Au reste je ne suis ni mutin ny meschant,
Qui fais croire ma loy par le glaive tranchant.
Voila comme je vy : si ta vie est meilleure,
564 Je n'en suis envieux : et soit à la bonne heure !
Mais quand je suis aux lieux où il faut faire voir
Ce que peut un tressaint et tresjuste devoir,
Lors je suis de l'Eglise une collonne ferme,
568 D'un surpelis ondé les espaulles je m'arme,
D'une haumusse le bras, d'une chape le dos [35],
Et non comme tu dis faitte de croix et d'os,
C'est pour un Capelan : la mienne est decorée
572 De grandes boucles d'or, et de frange dorée,
Et sans toy sacrilege, encore je l'aurois
Couverte des presens qui viennent des Indois,
Mais ta main de Harpie, et tes griffes trop haves
576 Nous gardent bien d'avoir les épaules si braves [36].
Par le trou de la chape aparoist eslevé
Mon col brave et gaillard, comme le chef lavé

D'un limaçon d'Avril, qui traine en meinte sorte
580 Par un trac limonneux le beau palais qu'il porte
Et desur l'herbe tendre errant deça dela
Dresse parmi les fleurs les deux cornes qu'il ha :
Un guerrier de jardins, qui se paist de rousée
584 Dont sa ronde maison est par tout arousée.
Ainsi paroist mon chef, et me sens bien heureux
De faire cet estat si saint et genereux [37].

Je ne perds un moment des prieres divines,
588 Dés la pointe du jour je m'en vais à matines,
J'ay mon breviere au poing, je chante quelque fois,
Mais c'est bien rarement, car j'ay mauvaise voix :
Le devoir du service en rien je n'abandonne,
592 Je suis à Prime, à Sixte, et à Tierce, et à Nonne [38],
J'oy dire la grand messe, et avecque l'encent
(Qui par l'Eglise espars comme parfun se sent)
J'honore mon Prelat, des autres l'outre-passe,
596 Ayant pris d'Agenor son surnom et sa race [39].
Apres le tour finy je viens pour me rassoir :
Bref, depuis le matin jusqu'au retour du soir
Nous chantons au Seigneur loüanges et cantiques,
600 Et prions Dieu pour vous qui estes heretiques.

Si tous les Predicans eussent vescu ainsi,
Le peuple ne fust pas (comme il est) en souci,
Les villes de leurs biens ne seroient despoillées,
604 Les chasteaux renversez, les eglises pillées,
Le laboureur sans creinte eust labouré ses champs,
Les marchés desolés seroient plains de marchans,
Et comme un beau soleil par toute la contrée
608 De France, reluiroit le bel espy d'Astrée [40] :
Les Reistres en laissant le rivage du Rhin,
Comme frelons armés, n'eussent beu nostre vin :
Je me pleins de bien peu ! ils n'eussent brigandée
612 La Gaulle qui s'estoit en deux pars débandée,
Et n'eussent fait rouller avecq' tant de charois,
Desoubs un Roy mineur, le thresor des François.
Ny les blonds nourrissons de la froide Angleterre

616 N'eussent passé la mer achettant nostre terre[41].
Or c'est là, Predicant, l'Evangille et le fruit
Que ta nouvelle secte en la France a produit,
Rompant toute amitié, et denouant la corde
620 Qui tenoit doucement les peuples en concorde.
Tu dis qu'on trouve assés à deviser de moy!
Touche là, Predicant! aussi fait on de toy,
Mais tel devis ne peult ny profiter ny nuyre:
624 Le Soleil pour cela ne laisse pas de luyre
Sur la terre et sur nous, et comme au paravant
Nous regardons le ciel et respirons le vent.
Nous ne sommes meschans pour autant que les hommes
628 Partiaux comme toy disent que nous le sommes,
Mais bien nous sommes tels, quand le remors caché
Dedans notre estomac juge nostre peché:
Et pource du Commun la veine medisance
632 Ne nous peult offenser, c'est nostre conscience.
Ainsi le Juif accuse un Turc Mahumetain,
Et le Turc le Chrestien, mais Dieu juge certain
Cognoist le cueur de tous: comment un Calviniste
636 Pourroit-il bien juger des actes d'un Papiste
Quand ils sont ennemis? Frere, pour abreger
Le juge partial ne scauroit bien juger.
Tu m'estimes meschant et meschant je t'estime,
640 Je retourne sur toy le mesme fait du crime,
Tu penses que c'est moy, je pense que c'est toy!
Et qui fait ce discord? nostre diverse foy.
Tu penses dire vray, je pense aussi le dire,
644 Et lequel est trompé? certes tu as le pire,
Car tu crois seulement en ton opinion,
Moy en la catholique et publique union.
Hà, qui voudroit de pres informer de ta vie,
648 On verroit que l'honneur, l'ambition, l'envie,
L'orgueil, la cruauté, se paissent de ton cueur,
Et boyvent de ton sang, comme l'Aigle veinqueur
Dont l'immortelle fain, par nulle chair dontée
652 Se paist incessamment du cueur de Promethée.

Hà, tu n'as, pour changer d'habis et de sermons,
Changé de sang, de cueur, de foye, de poumons:
Et tu monstres assés par ton orde escriture,
656 Que pour changer de loy n'as changé de nature [42],
Ny ne feras jamais, bien que d'un habit saint
Tu caches ta pensée et ton courage faint:
Ainsi le vieil Renard toujours Renard demeure,
660 Bien qu'il change de poil, de place, et de demeure.
Tu dis que je suis gras à l'ombre d'un clocher.
Predicant mon amy, je n'ay rien que la chair,
J'ay le front mal plaisant, et ma peau mal traitée
664 Retire à la couleur d'une ame Acherontée [43],
Si bien que, si j'avois ces habis grans et longs,
Ces reistres importuns qui batent aux talons,
Et que quelqu'un me veist si palle de visage,
668 Il diroit que je suis Ministre de village:
Pourveu que je portasse une toque à rebras,
Et, desoubs, un bonet, quelquesfois de taftas,
Quelquesfois de velours, pour un signal sinistre
672 Que d'un bon surveillant on m'auroit fait Ministre.
Tu dis que j'ay du bien? c'est donques en esprit,
Ou comme le pescheur qui songe en Theocrit [44],
Ou par opinion riche tu me veux faire,
676 Mais ceux à qui je doy sçavent bien du contraire:
Voudrois tu point user vers moy de charité!
Non: je ne suis point tant contre toy despité
Que je ne prenne bien de l'argent de ton Presche,
680 Pour descharger ton sac, si la somme t'empesche.
Tu dis que j'ay loüé ma Muse pour flater:
Nul Prince ny Seigneur ne se sçauroit vanter
(Dont je suis bien marry) de m'avoir donné gage,
684 Je sers à qui je veux, j'ay libre le courage:
Le Roy, son Frere, et Mere, et les Princes, ont bien
Pouvoir de commander à mon Luth Cynthien [45]:
Des autres je ne suis ny valet, ny esclave,
688 Et si sont grands Seigneurs, j'ay l'esprit haut et brave.
Tu dis que j'ay vescu, meintenant escolier,

Meintenant courtisan, et meintenant guerrier
Et que plusieurs mestiers ont esbatu ma vie :
692 Tu dis vray, Predicant, mais je n'eus onq'envie
De me faire Ministre, ou comme toy, Cafard,
Vendre au peuple ignorant mes songes et mon fard :
J'aymerois mieux ramer sur les ondes salées,
696 Ou avoir du labeur les deux mains empoulées,
Ainsi qu'un vigneron, par les champs incogneu,
Qu'estre d'un gentihomme un pipeur devenu.
Tu dis que des Prelats la troupe docte et sainte,
700 Au colloque à Poissi[46], trembla toute de crainte
Voyant les Predicans contre elle s'assembler :
Je la vy disputer et ne la vy trembler,
Ferme comme un rocher, qui jamais pour orage
704 Soit de gresle ou de vent ne bouge du rivage,
Asssuré de son poix : ainsi sans s'esbranler
Je vy constantement cette troupe parler.
Respondés, Predicans, si enflés d'esperance,
708 Eussiés vous de Geneve osé venir en France
Sans avoir sauconduit escrit à vostre gré ?
Vous donques aviés peur, non ce troupeau sacré.
Tu dis que j'ay blasmé cette teste Calvine,
712 Je ne le blasme pas, je blasme sa doctrine,
Quand à moy je le pense un trompeur, un menteur,
Tu le penses un ange, un apostre, un docteur,
L'apellant la lumiere et l'honneur des fidelles :
716 Si tu l'estimes tant, porte luy des chandelles :
Il n'aura rien de moy, par toute nation
On cognoist son orgueil et son ambition.
Tu dis que pour jazer et moquer à mon ayse,
720 Et non pour m'amander, j'allois ouyr de Baize[47] :
Un jour estant faché me voulant défacher,
Passant pres le fossé, je l'allay voir prescher
Et là, me servit bien la sourdesse benine,
724 Car rien en mon cerveau n'entra de sa doctrine,
Je m'en retourné franc comme j'estois venu,
Et ne vy seulement que son grand front cornu,

Et sa barbe fourchue, et ses mains renversées,
728 Qui promettoient le ciel aux tropes amassées :
Il donnoit Paradis au peuple d'alentour,
Et si pensoit que Dieu luy en deust de retour.
Je m'eschapé du presche, ainsi que du naufrage
732 S'eschape le marchant, qui du bord du rivage
Regarde seurement la tempeste et les vens,
Et les grands flots bossus, escumans, et bruyans :
Non pas qu'il soit joyeux dequoy la vague perse
736 Porte ses compaignons noyés à la renverse,
Ou de voir le butin, ou les fresles morceaux
Du bateau tournoyer sur l'eschine des eaux,
Mais dedans son courage une joye il sent naistre,
740 Voyant du bord prochain le danger sans y estre.
Tu dis qu'il me siet mal parler de la vertu :
Meschant Pharisien, pourquoy me blasmes-tu,
M'estimant ou fumée, ou poussiere menue,
744 Que le vent rase-terre emporte dans la nue,
Ou ces bulettes d'eau que le pasteur, enflant
Sa bouche rondement, pour plaisir va souflant,
Ou le jong d'un estang qui peu ferme se ploye,
748 Et serviteur du vent de tous costés ondoye.
N'enfle plus ton courage, apren à l'abaisser,
Donte moy ce gros cueur, lequel te fait hausser
Le front écervellé si superbe et si rogue,
752 Comme si tu estois des Vertus pedagogue.
Predicant mon amy, Dieu n'a pas destourné
Ses yeux si loing de nous, qu'il ne nous ait donné
Quelque peu de raison. Si toute l'ambrosie,
756 Tout le nectar du ciel t'abreuve et resasie,
Encore le bon Dieu qui nous daigne escouter,
Nous donne quelquesfois de son pain à goûter.
Si ta nouvelle secte en Paradis t'emporte,
760 Pour le moins nostre vieille en pourra voir la porte,
Et nous, pauvres banis, par la bonté de Dieu
Encore au font d'un coing trouverons quelque lieu,
Car c'est bien la raison que la premiere place

764 Soit aux Calviniens, comme aux enfans de grace[48].
Tu scais lequel des deux sortit justifié
Du Temple, où ce venteur s'estoit glorifié,
Et où le publicain vers la bonté divine
768 Se confessoit pecheur, et batoit sa poitrine[49] :
Ce superbe braveur au sourcil eslevé[50],
Qui chacun mesprisoit, s'en alla reprouvé
De Dieu, qui hait une ame ambitieuse et fiere,
772 Et de l'humble pecheur acorda la priere.
Davant que le festu de mes yeux aracher,
Des tiens premierement fais oster le rocher,
Et davant que blasmer, regarde si ton ame
776 Et si ta conscience est point digne de blasme.
A toy seul n'apartient de parler proprement
Comme il faut converser au monde sainctement,
C'est un don general qu'à chacun le ciel offre,
780 Et seulement Calvin ne l'a pas en son cofre.
La vertu ne se peut à Genéve enfermer,
Elle a le dos æslé, elle passe la mer,
Elle s'en volle au ciel, elle marche sur terre,
784 Viste comme un esclair, messager du tonnerre,
Ou comme un tourbillon qui soudain s'eslevant
Erre de fleuve en fleuve, et annonce le vent,
Ainsi de peuple en peuple elle court par le monde,
788 De ce grand univers hostesse vagabonde[51].
Tantost elle se loge où le peuple brulé
Ne voit loing de son chef le Soleil reculé,
Desoubs le pied duquel craque la chaude arene,
792 Où Phebus se vit pris des beaux yeux de Cyrene
Tantost elle s'en va où les champs, tapissés
De neige, ont les cheveux de glaçons herissés,
Non guiere loing de l'antre, en l'horreur éfroiable,
796 Que le froid Aquillon a choisi pour estable.
Tantost elle va voir le peuple du matin,
Qui a le col orné de l'Indique butin,
Et qui sent le premier deboucler la barriere
800 Aux chevaux du Soleil qui vont prandre carriere.

Tantost elle chemine aux peuples d'Occident,
Où le soleil recreu, halettant et pendant,
Lâche desur l'oreille à ses chevaux les brides,
804 Et son char baille en garde aux cinquante Phorcydes [52].
Bref les peuples du monde ont un don general
De sçavoir discerner le bien d'avecq' le mal,
De parler sainctement des choses politiques,
808 De sçavoir gouverner les grandes Republiques,
D'ambrasser la vertu, d'aymer la verité,
Et non seulement toy qui plain de vanité,
Comme un mignon de Dieu, veux les hommes atraire
812 Soubs ombre de vertu : et tu fais le contraire.
Tu dis que si nos Roys ressautoient du tombeau
Ils se diroient heureux de voir le grand flambeau
De ta secte alumé par la France opressée
816 Et d'y voir de Calvin l'Evangille annoncée !
Hà, terre creve toy ! qui maintenant joüis
De nos Roys, et nous rends cet unziesme Loys,
Tel qu'il estoit, alors qu'au bout de sa barette
820 Il portoit dans un plomb nostre Dame portraitte.
Creve toy, rends ce Prince, hà qu'il seroit mary
De voir si lachement l'Eglise de Clery,
Sa devote maison, detruitte et sacagée [53],
824 Ayant soufert l'horreur d'une main enragée,
La voyant sans honneur comme un lieu desolé,
Desert, inhabité, que la foudre a brulé :
Ou comme on voit au Camp sur le bord des frontieres,
828 Une grange où logeoient les Enseignes guerrieres,
Sans clef, sans gond, sans porte, et sans feste couvert,
Les pignons embrasez et tout le mur ouvert,
Et la place où Cerés gardoit sa gerbe en presse [54],
832 Estre pleine de fient, et de litiere espaisse.
Hà, qu'il seroit marry d'entendre que ses os,
Arachez du tombeau, nostre commun repos,
Eussent veu de rechef par tes mains la lumiere,
836 Abandonnés au vent ainsi qu'une poussiere !
Il se feroit amy du Duc de Charoloys [55],

Et pour venger ses os vestiroit le harnois,
Contre toy brise-tombe ! et sa puissante armée
840 De France chasseroit ta peste envenimée !
Si qu'en lieu qu'on te voit de pompe environné,
Marcher bragardement, agrafé, boutonné,
De l'argent d'une chasse, ou de l'or d'un calice,
844 Tu fuirois vagabond le sainct œil de Justice :
Bien que cent fois le jour ta coulpe et ton remords
Te serve de boureau, et te donne cent mors.
Tu te moques aussi dequoy ma poësie
848 Ne suit l'art miserable, ains va par fantaisie,
Et dequoy ma fureur sans ordre se suivant,
Esparpille ses vers comme fueilles au vent :
Ou comme au mois d'Esté, quand l'aire bien feconde
852 Sent batre de Cerés la cheveleure blonde,
Et le vaneur my-nud, ayant beaucoup secoux
Le blé deçà delà desur les deux genoux,
Le tourne et le revire, et d'une plume epaisse
856 Separe les bourriers du sein de la Deesse [56] :
Puys du dos et des bras efforcez par ahan,
Fait sauter le forment bien haut desur le van :
Lors les bourriers volans, comme poudre menue
860 Sans ordre çà et là se perdent en la nue,
Et font sur le vaneur meint tour et meint retour :
L'aire est blanche de poudre, et les granges d'autour :
Voyla comme tu dis que ma Muse sans bride,
864 S'egare esparpillée où la fureur la guide.
Hà si tu eusses eu les yeux aussi ouvers
A derober mon art, qu'à derober mes vers,
Tu dirois que ma Muse est pleine d'artifice
868 Et ma brusque vertu ne te seroit un vice.
En l'art de Poësie, un art il ne faut pas
Tel qu'ont les Predicans, qui suivent pas à pas
Leur sermon sceu par cueur, ou tel qu'il faut en prose,
872 Où toujours l'Orateur suit le fil d'une chose.
Les Poëtes gaillards ont artifice à part,
Ils ont un art caché qui ne semble pas art

Aux versificateurs, d'autant qu'il se promeine
876 D'une libre contrainte, où la Muse le meine.
Ainsi que les Ardens aparoissant de nuit
Sautent à divers bons, icy leur flame luit,
Et tantost reluit là, ores sur un rivage,
880 Ores desur un mont, ou sur un bois sauvage.
As tu point veu voller en la prime saison
L'Avette qui de fleurs enrichist sa maison!
Tantost le beau Narcisse, et tantost elle embrasse
884 Le vermeil Hyacinthe, et sans suivre une trasse
Erre de pré en pré, de jardin en jardin,
Portant un doux fardeau de Melisse ou de Thin.
Ainsi le bon esprit que la Muse espoinçonne,
888 Porté de sa fureur sur Pernasse moissonne
Les fleurs de toutes pars, errant de tous costés:
En ce point par les champs de Rome estoient portés
Le damoiseau Tibulle, et celui qui fist dire
892 Les chansons des Gregeois à sa Romaine lyre [57].
Tels ne furent jamais les versificateurs,
Qui ne sont seulement que de mots inventeurs,
Froids, grossiers, et lourdaux, comme n'ayant saisie
896 L'ame d'une gentille et docte frenaisie:
Tel bien ne se promet aux hommes vicieux,
Mais aux hommes bien nés, qui sont aymés des cieux.
Escoute Predicant, tout enflé d'arogance,
900 Faut il que ta malice attire en consequence
Le vers que brusquement un poëte a chanté?
Ou tu es enragé, ou tu es enchanté,
De te prendre à ma quinte, et ton esprit s'oublie
904 De penser aracher un sens d'une folye.
Je suis fol, Predicant, quand j'ay la plume en main,
Mais quand je n'escri plus, j'ay le cerveau bien sain.
Au retour du printemps les Muses ne sont sages,
908 Furieux est celuy qui se prend à leurs rages,
Qui fait de l'habilhomme, et sans penser à luy [58]
Se montre ingenieux aux ouvrages d'autruy.
Certes non plus qu'à moy ta teste n'est pas saine,

912 Et pour ce, Predicant, faisons une neufaine,
Où? à S[aint] Mathurin [59], car à nous voir tous deux
Nos cerveaux esventés sont bien avertineux.
Tu sembles aux enfans qui contemplent es nues
916 Des rochers, des Geans, des Chimeres cornues,
Et ont de tel object le cerveau tant esmeu,
Qu'ils pensent estre vray l'ondoyant qu'ils ont veu,
Ainsi tu penses vrais les vers dont je me joüe,
920 Qui te font enrager, et je les en avoüe.
Ny tes vers ny les miens oracles ne sont pas,
Je prends tanseulement les Muses pour ébas,
En riant je compose, en riant je veux lire,
924 Et voyla tout le fruit que je reçoy d'escrire,
Ceux qui font autrement, ils ne sçavent choisir
Les vers qui ne sont nés sinon pour le plaisir.
Et pour ce les grands Roys joignent à la Musique,
928 (Non au Conseil privé) le bel art Poëtique.
Tu dis qu'auparavant j'estois fort renommé,
Et qu'ores je ne suis de personne estimé [60]:
Penses tu que ta secte embrasse tout le monde?
932 Penses tu que le ciel, l'air, et la terre, et l'onde
Se fachent contre moy pour te voir en courroux?
Tu te trompes beaucoup: Dieu est pere de tous:
Je n'ay que trop d'honneur! certes je voudrois estre
936 Sans bruit et sans renon, comme un pasteur champestre,
Ou comme un laboureur, qui de beufs acouplés
Repoitrist ses gueretz pour y semer les blez.
Celuy n'est pas heureux qu'on montre par la rüe,
940 Que le peuple cognoist, que le peuple salüe,
Mais heureux est celuy que la gloire n'espoingt,
Qui ne cognoist personne et qu'on ne cognoist point.
A toy, des Predicans je quitte les fumées,
944 Les faveurs qui seront dans un an consumées:
Car mon esprit me trompe, ou la mere des moys
N'aura point ralumé ses cornes par neuf fois [61],
Qu'errans et vagabons, sans credit, sans puissance,
948 Je les voirray fuitifs et banis hors de France,

Hués, sifflés, vennés, et comme vieux renards
De cités en cités chassés de toutes pars.
Ce pendant vous, Seigneurs, qui leur donnés entrée
952 En vos maisons, trompés de leur bouche sucrée,
Ne croyés pas toujours à leur simple parler,
Ils voudront à la fin vos plaisirs controler:
Gardés bien vos enfans, vos bources, et vos femmes,
956 J'ay veu de tels gallands sortir de grands difames,
Car pour avoir le corps d'un grand reistre empestré
Ils n'ont la main liée, et n'ont le cueur chastré.
Tu dis que je mourois acablé de grand peine
960 Si je voyois tomber nostre Eglise Romaine!
J'en serois bien mary: mais quand il aviendroit,
Le magnanime cueur pourtant ne me faudroit,
J'ay quelque peu de bien qu'en la teste je porte,
964 Qui ne craint ny le vent ny la tempeste forte,
Il nage avecques moy, et peut estre le tien
Au rivage estranger ne te serviroit rien,
Où les gentils cerveaux n'ont besoin de ton Presche.
968 Non non: mon revenu de partir ne m'empesche:
Il n'est pas opulent, ny gras, ny excessif,
Mon or n'est monnoyé, ny fondu, ny massif,
Je vy en vrai poëte, et la faveur Royalle
972 Ne se montra jamais envers moy liberalle:
Et si ay merité de ma patrie autant
Que toy, faux imposteur, qui te bragardes tant.
Tu pipes les Seigneurs d'une vaine aparance,
976 Tu presches seulement pour engresser ta panse,
Tu japes en mâtin contre les dignités
Des Papes, des Prelats, et leurs authorités,
Tu renverses nos loix, et tout emflé de songes
980 En lieu de verité tu plantes tes mensonges,
Tes Monstres contrefais, qu'abayant tu defends,
Tes Larves, qui font peur seulement aux enfans.
Tu as selon ton sens l'Evangille traitée,
984 Tu fais comme tu veux de Jesus un Prothée,
Le tournant, le changeant, sans ordre et sans arrest,

Selon ta passion, et selon qu'il te plaist:
Tu as un beau parler tout remply de cautelle,
988 Tu veux tenir l'esprit de Dieu en curatelle,
Tu sçais de l'Evangille avoir pleines les mains [62],
Tu sçais bien courtizer quelques pauvres nonnains,
Tu sçais bien defroquer la simplesse d'un moyne,
992 Tu sçais bien joindre au tien de Christ le patrimoine,
Tu as en Paradis le tiers et les deux pars,
Tu en es fils ayné, nous en sommes bastards.
Tu as, pour renforcer l'erreur de ta folye,
996 A ton Genéve apris quelque vieille homelie
De Calvin, que par cueur tu racontes icy,
Tu as en l'estomac un lexicon farcy
De mots injurieux qui donnent à cognoistre
1000 Que mechant escolier tu as eu mechant maistre.
Où moy tout eslongné d'imposture et d'abus,
Amoureux des presens qui viennent de Phebus,
Tout seul me suis perdu par les rives humides,
1004 Et par les boys tofus, apres les Pierides,
Les Muses, mon souci, qui m'ont tant honoré,
Que de m'avoir le front de myrthe decoré,
Car pour ton aboyer [63], je ne perds la couronne
1008 De Laurier, dont Phebus tout le chef m'environne:
Elle ombrage mon front, signal victorieux
Qu'Apollon a donté par moy ses envieux.
Aussi tost que la Muse eut emflé mon courage
1012 M'agitant brusquement d'une gentille rage,
Je senti dans mon cueur un sang plus genereux,
Plus chaut et plus gaillard, qui me fist amoureux:
A vint ans je choisi une belle maistresse [64],
1016 Et voulant par escrit tesmoigner ma detresse,
Je vy que des François le langage trop bas
Se trainoit sans vertu, sans ordre, ny compas:
Adonques pour hausser ma langue maternelle,
1020 Indonté du labeur, je travaillé pour elle,
Je fis des mots nouveaux, je rapellay les vieux
Si bien que son renom je poussay jusqu'aux cieux:

Je fis d'autre façon que n'avoient les antiques,
1024 Vocables composés, et frases poëtiques,
Et mis la poësie en tel ordre qu'apres,
Le François s'egalla aux Romains et aux Grecs.
Hà que je me repends de l'avoir aportée
1028 Des rives d'Ausonie et du rivage Actée[65]:
Filles de Jupiter, je vous requiers pardon!
Helas je ne pensois que vostre gentil don
Se deust faire l'apast de la bouche heretique,
1032 Pour servir de chansons aux valets de boutique:
Aporté seulement en France je l'avois
Pour donner passetemps aux Princes et aux Roys.
Tu ne le puis nyer! car de ma plenitude
1036 Vous estes tous remplis: je suis seul vostre estude,
Vous estes tous yssus de la grandeur de moy,
Vous estes mes sujets, et je suis vostre loy.
Vous estes mes ruisseaux, je suis vostre fontaine,
1040 Et plus vous m'espuisés, plus ma fertile veine
Repoussant le sablon, jette une source d'eaux
D'un surjon éternel pour vous autres ruisseaux.
C'est pourquoy sur le front la couronne je porte,
1044 Qui ne craint de l'hyver la saison tant soit morte,
Et pource toute ronde elle entourne mon front,
Car rien n'est excellent au monde s'il n'est rond:
Le grand ciel est tout rond, la mer est toute ronde,
1048 Et la terre en rondeur se couronne de l'onde,
D'une couronne d'or le Soleil est orné,
La Lune a tout le front de rayons couronné,
Les Roys sont couronnés: heureuse est la personne
1052 Qui porte sur le front une riche couronne.
O le grand ornement des Papes et des Roys
Des Ducs, des Empereurs: Couronne, je voudrois
Que le Roy couronné, eust sur ma teste mise
1056 La mittre d'un Prelat, Couronne de l'Eglise:
Lors nous serions contens: toy de me voir tondu,
Moy de joüyr du bien où je n'ay pretendu.
Apres comme un flateur tu dis que par ma ryme,

1060 J'offence de Condé le Prince magnanime,
Et veux qu'un tel Seigneur s'aigrisse contre moy,
Le faisant ou Tyran ou Tygre comme toy.
J'ateste l'Eternel qui tout voit et regarde,
1064 (Et si je suis menteur je luy supply' qu'il darde
Sa foudre sur mon chef) si jamais j'ay pensé
De rendre par mes vers un tel Prince offensé [66] :
A qui je suis tenu de rendre obeissance,
1068 A qui j'ay dedié ma plume et ma puissance,
Qui m'ayme et me cognoist, et qui a meintesfois
Estimé mes chansons devant les yeux des Roys,
Qui est doux et courtois, né de bonne nature,
1072 Qui a l'esprit gaillard, l'ame gentille et pure,
Qui cognoistra bien tost, tant il est Prince bon,
Les maux que ton orgueil a commis soubs son nom.
Or quand Paris avoit sa muraille assiegée [67],
1076 Et que la guerre estoit en ses fauxbours logée,
Et que les morions et les glaives tranchans
Reluisoient en la ville et reluisoient aux champs :
Voyant le Laboureur tout pensif et tout morne,
1080 L'un trainer en pleurant sa vache par la corne,
L'autre porter au col ses enfans et son lict :
Je m'enfermé troys jours renfrongné de depit,
Et prenant le papier et l'encre de colere,
1084 De ce temps malheureux j'escrivi la misere,
Blasmant les Predicans, lesquels avoient presché
Que par le fer mutin le peuple fust tranché,
Blasmant les Assassins, les Voleurs, et l'outrage
1088 Des hommes reformés, cruels en brigandage,
Sans soufrir toutesfois ma plume s'atacher
Aux Seigneurs dont le nom m'est venerable et cher.
Je ne veux point respondre à ta Theologie,
092 Laquelle est toute rance, et puante, et moisie,
Toute rapetassée et prinse de l'erreur
Des premiers seducteurs, incensez de fureur.
Comme un pauvre vieillard, qui par la ville passe
096 Se courbant d'un baston, dans une poche amasse

Des vieux haillons qu'il treuve en cent mille morceaux,
L'un dessus un fumier, l'autre pres des ruisseaux,
L'autre pres d'un egout, et l'autre dans un antre,
1100 Où le peuple artizan va decharger son ventre:
Apres en choisissant tous ces morceaux espars,
D'un fil gros les ravaude et coust de toutes pars,
Puis en fait une robbe, et pour neufve la porte:
1104 Ta secte, Predicant, est de semblable sorte.
Or, bref, il me sufist de t'avoir irrité:
Comme un bon laboureur qui sur la fin d'Esté,
Quand desja la vandange à verdeler commence,
1108 De peur que l'escadron des freslons ne l'offence,
De tous costés espie un chesne my mangé,
Où le camp resonnant des freslons est logé:
Puis en prenant de nuit un gros fagot de paille,
1112 D'un feu noir et fumeux leur donne la bataille:
La flame et la fumée entrant par les naseaux
De ces soldats æslés, irrite leurs cerveaux,
Qui fremissent ainsi que trompettes de guerre,
1116 Et de colere en vain espoinçonnent la terre.
Mais toy (comme tu dis) qui as passé tes ans
Contre les coups d'estoq des hommes medisans,
Qui as un estomaq que personne n'enfonce,
1120 Tu pourras bien souffrir cette douce responce:
Car ton cueur est plus dur qu'un corselet ferré
Qui garde l'estomaq du soldat assuré.
A tant je me tayrai, mais davant je proteste
1124 Que si horriblement ton erreur je deteste,
Que mille et mille mors j'ayme mieux recevoir,
Que laisser ma raison de ton fard decevoir.
Au reste j'ay releu ta vilaine escriture,
1128 Ainsi que d'un boufon facond à dire injure,
Ou d'une harangere assise à petit Pont[68],
Qui d'injures assaut et d'injures respond.
Ha que tu monstres bien que tu as du courage
1132 Aussi sale et vilain qu'est vilain ton langage!
Toutesfois à bon droit je me sens decoré

Dequoy par tes brocards tu m'as deshonoré,
Comme seul n'endurant [69] ta medisance amere :
1136 Cette Royne qui est de nostre Prince Mere
A soufert plus que moy, quand aux premiers estas [70]
Jaloux de sa grandeur, tu ne la voulois pas.
  Ce Roy des Navarrois a senti l'amertume
1140 De ta langue qui fait de mesdire coustume,
Quand l'ayant par despit de Paradis bany,
Or l'apellois Caillette, or l'apellois Thony [71] !
Quoy ? ne faisois tu pas à mode d'estrivieres [72],
1144 Pour ce Roy, l'autre année, au Presche tes prieres ?
Tantost ne priant pas, tantost priant pour luy,
Selon qu'il t'aportoit ou profit ou ennuy ?
  Mesmes j'entens desja que ta malice pince
1148 De brocards espineux ce magnanime Prince,
Ce Seigneur de Condé, et le blasmes dequoy
Il ne se montre Tygre à ceux de nostre loy.
Je suis donques heureux de soufrir tels outrages,
1152 Ayant pour compaignons de si grands personnages.
  Or tu as beau gronder pour r'assaillir mon fort,
Te gourmer et t'enfler, comme autrefois au bord
La grenouille s'enfla contre le beuf, de sorte
1156 Que pour trop se boufer sur l'heure creva morte,
Tu as beau repliquer pour respondre à mes vers,
Je deviendray muet, car ce n'est moy qui sers
De bateleur au peuple, et de farce au vulgaire :
1160 Si tu en veux servir tu le pourras bien faire.
Ce pendant je priray l'eternelle Bonté,
Te vouloir redonner ton sens et ta santé.
  Mais avant que finir, entends, race future,
1164 Et comme un testament garde cette escriture :
Ou soit que les Destins, à nostre mal constans,
Soit que l'ire de Dieu face regner long temps
Cette secte apres moy, race, je te supplie,
1168 Ne t'incense jamais apres telle folye :
Et relisant ces vers, je te pry' de penser
Qu'en Saxe je l'ay veue en mes jours commencer [73],

Non comme Christ la sienne, ains par force et puissance
1172 Desoubs un Apostat elle prit sa naissance :
Le feu, le sang, le fer en sont le fondement,
Dieu vueille que la fin en arrive autrement,
Et que le grand flambeau de la guerre alumée,
1176 Comme un tyzon de feu se consume en fumée.

III

AUX BONS ET FIDELLES MEDECINS PREDICANS,

SUR LA PRISE DES TROIS PILLULES QU'ILS M'ONT ENVOYÉES [1].

Mes bons et fidelles Medecins Predicans, tout ainsi que de gayeté de cueur, et sans froncer le sourcy, j'ay gobbé et avallé les troys pillules que de vostre grace m'avez ordonnées : lesquelles toutesfoys n'ont fait en mon cer-
5 veau l'entiere operation que desiriez, comme vous pourez cognoistre par l'humeur opiniastre qui me reste encore en la teste : Je vous prie que sans dedaigner le gobelet, vous preniez aussi joyeusement cette medecine que je vous envoye, suppliant le Seigneur qu'elle vous puisse garir
10 plus perfettement que la mienne ne m'a fait : et afin que ne soyez en doute de la composition, j'ay bien voulu vous donner le double du *Recipe* [2] afin de le garder au crochet d'un Apoticaire pour ne faillir à toutes les nouvelles Lunes vous en faire une bonne et forte purgation, et sur
15 tout (par ce que le Medecin me l'a dit de bouche seullement) n'oubliez apres la prise vous faire ouvrir la veine moyenne senestre, et apres ventoser et scarifier deux ou trois fois la nuque du col, pour atirer et evaporer l'humeur noir et melancolique, lequel sans relache vous tourmente
20 et gaste le cerveau.

[Suit la recette en latin qu'on trouvera p. 201.]

VIII

EPISTRE AU LECTEUR
PAR LAQUELLE SUCCINCTEMENT L'AUTHEUR RESPOND A SES CALOMNIATEURS (1564)

Je m'asseure, lecteur, que tu trouveras estrange, qu'apres avoir generalement discouru des miseres de ce temps, et respondu à ceux qui faulcement m'avoient voulu calomnier, je change si soubdain de façon d'es-
5 crire, faisant imprimer en ce livre autres nouvelles compositions, toutes diferentes de stille et d'argument de celles que durant les troubles j'avois mises en lumiere [1]. Lesquelles estant comme par contrainte un peu mordantes me sembloient du tout forcées, et faites contre la
10 modestie de mon naturel. Si falloit il respondre aux injures de ces nouveaux rimasseurs, afin de leur monstrer que je n'ay point ny les mains si engourdies ny le jugement si rouillé, que quand il me plaira d'escrire je ne leur monstre facilement qu'ils ne sont que jeunes apran-
15 tis. Ils diront que je suis un magnifique vanteur, et m'accompareront tant qu'ilz voudront à ce glorieux Amyqus [2] : si est-ce toutesfois que ma vanterie est veritable et ne rougiray point de honte de le confesser ainsi. Donques, lecteur, si tu t'esmerveilles d'une si soudaine
20 mutation d'escriture, tu dois sçavoir qu'apres que j'ay

achepté ma plume, mon ancre et mon papier, que par droit ilz sont miens, et que je puis faire honnestement tout ce que je veux de ce qui est mien. Et comme je ne suis contrerolleur des melancholies, des songes ny des fantai-
25 sies de mes calomniateurs, ilz ne devroient non plus l'estre des miennes, qui entierement ne me donne peine de ce qu'ilz disent, de ce qu'ilz font, ny de ce qu'ilz escrivent. Car comme je ne lis jamais leurs œuvres, aussi je ne m'enquiers point s'ils lisent les miennes, ny moins
30 de leur vie ny de leurs actions. Quand j'ay voulu escrire de Dieu, encore que langue d'homme ne soit suffisante ny capable de parler de sa majesté : je l'ay fait toutesfois le mieux qu'il m'a esté possible, sans me vanter de le cognoistre si parfaitement qu'un tas de jeunes Theolo-
35 giens qui se disent ses mignons, qui ont, peut estre, moindre cognoissance de sa grandeur incomprehensible que moy pauvre infirme et humilié, qui me confesse indigne de la recherche de ses secrets, et du tout vaincu de la puissance de sa deité, obeissant à l'Église Catholi-
40 que, sans estre si ambitieux rechercheur de ces nouveautez, qui n'aportent nulle seureté de conscience, comme rapellans tousjours en doute les principaux points de nostre religion, lesquelz il faut croire fermement, et non si curieusement en disputer. Quand j'ay voulu parler des
45 choses plus humaines et plus basses, de l'amour, de la victoire des Roys, des honneurs des princes, de la vertu de nos seigneurs, je me persuade aisement que je m'en suis acquité de telle sorte qu'ilz frapperont la table plus de cent fois, et se gratteront autant la teste, avant que
50 pouvoir imiter la moindre gentillesse de mes vers. Or si tu veux sçavoir pourquoy j'ai traitté maintenant un argument et maintenant un autre, tu n'auras autre responce de moy sinon qu'il me plaisoit le faire ainsi, d'autant qu'il m'est permis d'employer mon papier
55 comme un potier fait son argille, non selon leur fantaisie mais bien selon ma volonté. Peu de personnes ont commandement sur moy, je fais volontiers quelque chose

pour les princes et grands seigneurs, pourveu qu'en leur faisant humble service je ne force mon naturel et que je
60 les congnoisse gaillars, et bien nez, faisant reluyre sur leur front je ne scay quelle attraiante et non vulgaire vertu : car si tu pensois que je fusse un ambitieux courtisan, ou à gage de quelque seigneur, tu me ferois grand tort, et t'abuserois beaucoup. Je dy ceci pource que ces
65 nouveaux rimasseurs m'appellent tantost Evesque futur, tantost Abbé : mais telles dignitez ne sont de grand revenu, pour n'estre fondées qu'en un papier encore bien mal rymé. Il est vray qu'autresfois je me suis faché voyant que la faveur ne respondoit à mes labeurs,
70 (comme tu pourras lire en la complaincte que j'ay n'agueres escrite à la Royne[3]) et pour cela j'ay laissé Francus et les Troyens agitez des tempestes de la mer, attendant une meilleure occasion de refaire leurs navires pour les conduire à notre bord tant desiré[4]. Car ce n'est
75 moy qui se veut distiller le cerveau à la poursuite d'un si grand œuvre sans me veoir autrement favorisé : s'ils le peuvent et veullent faire, je n'en suis envieux. Ce pendant je passeray la fortune telle qu'il plaira à Dieu m'envoyer. Car tu peux bien t'asseurer n'avoir jamais veu
80 homme si content ny si resolu que moy, soit que mon naturel me rende tel, ou soit que mon mestier le veille ainsi, ne me donnant facherie en l'esprit, voyre quand la terre se melleroit dedans la mer, et la mer dedans le feu, je suis resolu de mespriser toutes fortunes et de porter
85 avecques patience les volontez de Dieu, soit la paix, soit la guerre, soit la mort, soit la vie, soit querelles generales ou particulieres : telz accidens ne m'esbranleront jamais d'icelle asseurée resolution, qui est par la grace de Dieu imprimée de long temps en mon esprit, tellement que
90 j'ay pris pour devise ces deux vers que dit Horace de l'homme constant et resolu :

Si fractus illabatur orbis
Impavidum ferient ruinae[5].

S'ils prennent plaisir à lire mes escris, j'en suis tres-
95 joyeux, si au contraire ils s'en fachent, je les conseille de
ne les achepter pas, ou, si d'aventure ils les ont acheptez,
les faire servir, avec un desdain, au plus vil office dont ilz
se pourront adviser : car pour aprover mes œuvres ou pour
les calomnier, je ne m'en trouve moins gaillard ny
100 dispos. Et pour leur louange ou pour leur mesdire rien ne
me vient en ma boette quand j'ay besoin d'achepter ce qui
est necessaire pour m'entretenir. Ilz ont bien ouy parler
des deux boettes de Simonide, et pource je ne leur
en feray plus long discours, seulement je me donneray
105 bien garde de forcer ma complexion pour leur plaisir [6]. La
poësie est plaine de toute honneste liberté, et s'il faut dire
vray, un folastre mestier duquel on ne peut retirer beaucoup d'avancement, ny de profit. Si tu veux sçavoir
pourquoy j'y travaille si allegrement, pource qu'un tel
110 passetemps m'est aggreable, et si mon esprit en escrivant
ne se contentoit, je n'en ferois jamais un vers, comme ne
voulant faire profession d'un mestier, qui me viendroit à
desplaisir. Ils en diront et penseront ce qu'il leur plaira,
je t'asseure, Lecteur, que je dy verité. Je ne fais point de
115 doute que je n'aye mis un bon nombre de ces poëtastres,
rimasseurs et versificateurs en cervel, lesquelz se sentent
offencez, dequoy je les ay appellez aprantis et disciples
de mon escolle (car c'est la seule et principalle cause de
l'envye qu'ilz ont conceue contre moy) les faisant devenir
120 furieux apres ma vive et belle renommée, comme ces
chiens qui aboyent la Lune, et ne sçavent pourquoy sinon
pour ce qu'elle leur semble trop belle et luysante, et que
sa clarté seraine leur desplaist et leur offence le cerveau
melancholique et catherreux. Mais les pauvres incensez
125 se trompent beaucoup, s'ils pensent que leurs libelles,
muettes injures, et livres sans nom, offencent la tranqui-
lité de mon esprit, car tant s'en faut que j'en sois faché,
ou aucunement desplaisant, que je ne veux laisser à la
posterité plus grand tesmoignage de ma vertu que les
130 injures edentées, que ces poëtastres vomissent contre

moy. Et pour une mesdisance je leur conseille d'en dire deux, trois, quatre, cinq, six, dix, vingt, trente, cent, mille, et autant qu'il en pourroit en toutes les caques des harangeres de petit Pont[7]. J'estime leurs injures à grand
135 honneur quand je pense qu'ilz se sont attaquez aux Princes et aux Roys aussi bien qu'à moy. Je ne suis seulement faché que d'une chose, c'est que leurs livres m'ont fait devenir superbe et glorieux, car me voyant assailly de tant d'ennemys j'ay pensé incontinent que j'estois
140 quelque habille homme, et que telles envyes ne procedoyent que de ma vertu. Vous donc quiconques soyez qui avez fait un Temple contre moy, un Enfer, un Discours de ma vie, une seconde responce, une Apologie, un traitté de ma noblesse, un Prelude, une faulse palino-
145 die en mon nom, une autre tierce responce, un commentaire sur ma responce, mille Odes, mille Sonnets, et mille autres tels fatras, qui avortent en naissant, je vous conseille si vous n'en estes saoulz, d'en escrire d'avantage, pour estre le plus grand honneur que je sçaurois
150 recepvoir[8]. Je scay bien que quelques uns bien affectionnez à leur religion, desquels vous n'estes (car voz escris, voz vies, et voz meurs, vous manifestent vrays Athées) diront que c'est bien fait de parler contre Ronsard et le peindre de toutes couleurs, afin que le peuple
155 l'aye en mauvaise reputation, et ne face desormais estime de ses escrits.

Je ne trouve point estrange que telles personnes qui parlent selon leur conscience, et qui pensent veritablement que telle chose serve à leur cause, comme gens
160 tresaffectionnez, composent contre moy, ou facent composer : mais je suis esmerveillé dequoy vous qui n'avez ni foy, ny loy, et qui n'estes nullement poussez du zelle de Religion, escrivez des choses qui ne vous apportent ny honneur, ny reputation : car pour toutes vos mesdisan-
165 ces je ne seray moins estimé des Catholiques que je suis, ny de ceux de la religion, de laquelle vous ne faites une seulle profession. Aussi ay-je des long temps decouvert

vostre malice, c'est que ne croyant rien, vous faites comme le Chameleon, changeant de couleurs en toutes
170 terres où vous allez, fuyant maintenant ce party et maintenant celuy là, selon que vous l'estimez favorisé, durable, avantageux, et le plus profitable pour vous : telles gens se devroient fuyr comme peste, n'ayant autre Dieu que le gain et le profit. Je pense cognoistre quelcun de ces
175 gallans [9], lequel deux ou trois jours devant qu'il barboillast le papier contre moy, disoit par derision mille vilenies de Calvin et de sa doctrine, en laquelle il avoit esté nourry trois ou quatre ans à Lozane et à Geneve. Il composa cest esté dernier à Paris des Sonnets contre de
180 Beze, que maintenant il honnore comme un Dieu, lesquelz il me monstra et dont j'ay l'original escrit de sa main : je ne dy pas cecy pour flatter Calvin ou de Beze, car c'est le moindre de mes soucis. Toutefois pour monstrer que je ne suis menteur ny calomniateur, j'ay
185 bien voulu faire imprimer icy l'un des Sonnetz de ce chrestien reformé, afin que le peuple cognoisse de quelle humeur le compagnon est agité.

S'armer du nom de Dieu, et aucun n'en avoir,
Prescher un Jesus Christ, et nyer son essence,
190 *Gourmander tout un jour, et prescher abstinence,*
Prescher d'amour divin, et haine concevoir,
Prescher les cinq Canons sans faire leur vouloir,
Paillarder librement, et prescher continence,
Prescher frugalité, et faire grand despence,
195 *Prescher la charité, et chascun decevoir :*
Compter dessus les doigtz, faire bonne grimace,
Amuser de babil toute une populace.
Mignarder d'un clin d'œil le plus profond des Cieux :
Cacher souz le manteau d'une facon mauvaise
200 *Un vouloir obstiné, un cœur ambitieux,*
C'est la perfection de Theodore de Beze

Puis soudainement transformé en autre personnage, me print à partie, et vomit sa malice contre moy, qui l'avois chery et festié deux ou trois fois à mon logis sans
205 m'avoir autrement pratiqué ny cogneu, et de fait (que je sçache) ny de pensée en nulle sorte offencé, ny n'eusse voulu, ny ne voudrois maintenant faire, car je suis assez satisfait dequoy les gens d'honneur et de bien le cognoissent et le tiennent pour tel qu'il est. Quand à son
210 Atheisme il en donna si certaine preuve ce prochain esté qu'il sejourna quelques jours en ceste ville [10], que mesmes ceux et celles qu'il hantoit le plus privement, estoient non seulement esmerveillez mais espouventez de sa mechanceté. Si quelcun veut escrire son histoire, je
215 n'en seray joyeux ny marry, mais quand à moy j'ay resolu de n'empescher davantaige ma plume pour respondre à un tel babouin que luy. Vous, messeigneurs, qui avez conscience, qui craignez Dieu et faictes profession (comme vous dittes) de maintenir son sainct Evangille,
220 deveriez chassez telz apostatz, et pour parler comme Homere, tels ἀλλοπροσάλλους [11] de vostre compaignée, ce que je suis asseuré que vous feriez voluntiers, si vous les pouviez cognoistre, mais ils se deguisent de telle sorte quand ilz sont avec vos troupes, qu'il est fort malaizé de
225 s'en donner de garde, pour leur rendre le chastiment digne de leurs merites. Je ne puis approuver ces meschantes ames, et loüe grandement ceux qui sont fermes en leur religion. Aussi ne suis-je à blasmer si je demeure ferme en la mienne, qui aymerois mieux mourir que me
230 separer du sein de l'Eglise Catholique, et penser estre plus sçavant que tant de vieux Docteurs qui ont si saintement escrit [12].

Or je reviens à vous Poëtastres, qui vous efforcez d'irriter les Princes et Seigneurs contre moy, disant que
235 j'en ay parlé avec peu de reverence et honneur: que sçaurois-je dire d'eux, sinon que je leur suis treshumble serviteur? Au reste je ne fuz jamais de leur conseil privé ny de leurs affaires, et ma personne est de trop basse

qualité pour m'ataquer à leur grandeur: mais je les puis
240 bien asseurer que s'ilz avoient affaire de moy, qu'ilz en
fourniroient plustost que de vostre obeissance dissimulée,
qui les courtizez non par amytié, ou par bien que vous
leur veillez, mais seulement pour vostre profit particulier : et moy par une naturelle reverence et obser-
245 vance que je leur doy. Or si vous pensez par voz calomnies m'oster de la bonne opinion que le peuple a receu de
mes escris, vous estes bien loin de vostre compte, et si
vous estimez que je soys desireux de la faveur du vulgaire, vous vous trompez encores beaucoup, car le plus
250 grand desplaisir que je sçaurois avoir en ce monde, c'est
d'estre estimé ou recherché du peuple, comme celuy qui
ne se mesle de faciende, de faction, ny de menée quelconque, pour l'un ne pour l'autre party. Seulement quand
il fait beautemps je me pourmeine, quand il pleut
255 je me retire au logis, je devise, je passe le temps sans
discourir, practiquer ni affecter choses plus hautes que ma
vacation. Et voulez vous que je vous die ce qui m'a le plus
ennuyé durant ces troubles, c'est que je n'ay peu jouyr de
la franchise de mon esprit, ny librement estudier
260 comme au paravant. Je me plains de petite chose, ce
direz vous, ouy petite quant à vous qui avez tousjours
despendu de la volonté d'autruy: mais grande quant à
moy qui suis nourry en toute heureuse et honneste
liberté. Aussi suivant mon naturel en ceste douce saison
265 de la paix vous ne me pourriez engarder de me resjouir et
d'escrire, car de tels honorables exercices ne depend la
ruyne de nostre Republique, mais de vostre avare ambition. Au reste si quelcun a escrit contre moy je luy ay
respondu, estant asseuré que les œuvres de ces nouveaux
270 rimailleurs ny les miennes quant à ce faict, n'ont non plus
de poix ny d'autorité que les joyeuses saillies de Tony ou
du Grefier [13], et que celuy seroit bien mal accompagné
de jugement qui voudroit fonder quelque raison ou tirer
en consequence les verves et caprices d'un Poëte melan-
275 cholique et fantastique. Mais puis que ce correcteur de

livres et ce jeune Drogueur [14] (duquel la vie ne sera point mauvaise descritte) l'ont voulu autrement, je suis fort aise de leur servir d'aiguillon, et de tan pour les mettre en furie, car ce m'est un fort grand plaisir de voir ces petiz
280 gallans agitez et debordez contre moy, qui s'en esbranle aussi peu qu'un rocher des tempestes de la Mer. Toutesfois sans le commandement des plus Grands qui ont expressement deffendu les libelles, je les eusse vivement grattez où il leur demange, car, Dieu mercy, nous avons
285 bons et amples memoires de la vie de ces deux compaignons : mais dorenavant je me tairay pour obeyr à ceux qui ont puissance sur ma main, et sur ma volonté. Il me plaist d'estre leur but, leur visée, leur passion et leur colere, et decochent tant qu'ilz voudront leurs fleches
290 espointées contre moy. De là j'atens ma gloire, mon honneur et ma reputation, et plus ilz seront envenimez, et plus je me promets par leurs injures de louange et d'immortalité : car je sçay leurs forces, et de quelle humeur les bons seigneurs sont tormentez. Si ces grands et
295 doctes hommes (que par honneur je nomme mes peres) tant estimez durant l'heureux siecle du feu Roy François [15] se bendoient contre moy, j'en serois extremement marry ou si ceux de ma volée qui se sont fait apparoistre comme grandes estoilles, et qui ont tellement poussé
300 nostre Poësie françoise que par leur diligence elle est montée au comble de tout honneur, despendoient l'ancre à m'injurier, je voudrois me banir moymesme de ce jour, pour ne contester avec si grands personnages. Mais je prends grand plaisir de voir ces rimasseurs s'attaquer à
305 moy, qui suis né d'une autre complexion que Theocrite, lequel se faschant contre quelque ingrat Poëtastre de son temps faisoit parler de colere un pasteur ainsi :

> Μέγα δ' ἄχθομαι, εἴ τυ με τολμῇς
> Ὄμμασι τοῖς ὀρθοῖσι ποτιβλέπεν, ὅν ποκ' ἐόντα
> 10 Παῖδ' ἔτ' ἐγὼν ἐδίδασκον · ἴδ ' ἁ χάρις ἐς τί ποθ' ἕρπει.
> Θρέψαι καὶ λυκιδεῖς, θρέψαι κύνας, ὥς τυ φάγωντι [16].

Car comme j'ay dit, gentil barboilleur de papier, qui m'as pris à partie, tu ne sçais rien en cest art que tu n'ayes aprins dedans les œuvres de mes compaignons ou dedans
315 les miennes, comme vray singe de nos escris, qui par curiosité m'as leu et releu, notté par lieux communs, et observé comme ton maistre, qui m'as appris par cœur, et ne jures en ta conscience que par la foy que tu me dois. Doncques te congnoissant tel, je n'auray jamais peur que,
320 pour vouloir diffamer mon renom par tes muettes copies espandues secrettement de main en main, tu t'aquieres ny faveur ny reputation, laquelle ne se gaingne par injures ny pour faire accroire au papier ses particulieres passions, mais par beaux ouvrages remplis de pieté, de doctrine et
325 de vertu.

Or afin de te faire cognoistre que tu es du tout novice en ce mestier, je ne veux commenter ta responce [17] (en laquelle je m'asseure de te reprendre de mille fautes dont un petit enfant auroit des verges sur la main, car tu
330 n'entens ny les rythmes, mesures, ny cœsures). Ceux qui ont quelque jugement en la poësie, lisant ton œuvre, verront facilement si je parle par animosité ou non : seulement, pour monstrer ton asnerie, je prendray le Sonnet que tu as mis au devant de ta responce, qui se commence
335 ainsi :

Bien que jamais je n'ay beu dedans l'eau
De la fontaine au cheval consacrée,
Ou, imitant le citoyen d'Ascrée,
Fermé les yeux sur un double coupeau [18].

340 Premierement tu m'as desrobé l'invention de ce Sonnet et non de Perce. Le commencement du mien est tel :

Je ne suis point, Muses, accoustumé
De voir voz jeux soubz la tarde serée,
Je n'ay point beu dedans l'onde sacrée
345 *Fille du pied du Cheval emplumé* [19].

Or sus, espluchons ce beau quadrain. *Dedans l'eau :* tu devois dire, de l'eau de la fontaine, ou simplement dedans l'eau, mais cela est peu de chose. *Au cheval consacrée :* pour un si sçavant homme que toy, qui t'estimes l'honneur des lettres, je m'esbahis comme tu as si sottement failly à la fable. La fonteine Hippocrene dont tu parles, fut consacrée aux Muses et non au cheval Pegase, du pied duquel elle fut faitte, et duquel elle retient le nom tant seulement, sans luy estre dediée, voy Arat en ses *Phenomenes :*

Οἱ δὲ νομῆες
Πρῶτοι κεῖνο ποτὸν διεφήνισαν Ἱππουκρήνην [20].

Mais tu as dit cecy pour faire honneur au cheval de Bellerophon. *Le Citoyen d'Ascrée :* tu devois dire pour parler proprement, le villageoys d'Ascrée : car Citoyen se refere à Cité, et Ascrée est un meschant village au pied d'Helicon, duquel Hesiode raconte l'incommodité :

Νάσσατο δ' ἄγχ' Ἑλικῶνος ὀϊζυρῇ ἐνὶ κώμῃ,
Ἄσκρῃ, χεῖμα κακῇ, θέρει ἀργαλέῃ, οὐδέποτ' ἐσθλῃ [21].

Fermé les yeux : tu faux encores à la fable ; Hesiode ne dit pas qu'il ait dormy sur le mont d'Helicon pour devenir Poëte : il dit tout le contraire, c'est qu'en faisant paistre ses aigneaux dessoubz Helicon les Muses lui enseignerent l'art de Poëtizer :

Αἵ νύ ποθ' Ἡσίοδον καλὴν ἐδίδαξαν ἀοιδὴν,
Ἄρνας ποιμαίνονθ' Ἑλικῶνος ὕπο ζαθέοιο [22].

Venons à l'autre couplet,

Bien qu'esloigné de ton sentier nouveau
Suyvant la loy que tu as massacrée,
Je n'ay suivy la Pleiade enyvrée
Du doux poison de ton brave cerveau.

De ton sentier nouveau : Je suis bien aize dequoy tu confesses que mon sentier est nouveau, et pource (puis qu'il te plaist) je pourray seurement dire :

380 *Avia Pieridum peragro loca, nullius ante*
Trita solo, juvat integros accedere fonteis [23].

Je ne reprens cecy pour faute, mais seulement pour te monstrer qu'en te voulant moquer tu as dict verité. *Suyvant la loy que tu as massacrée :* J'ay bien ouy dire 385 forcer, violer et corrompre une loy, mais massacrer une loy je n'en avois jamais ouy parler : Aprens, pauvre ignorant, à te corriger des fautes qu'un estranger ne voudroit faire en notre langue. *La Pleiade enyvrée :* Je n'avois jamais ouy dire sinon à toy, que les estoilles 390 s'enyvrassent, qui les veux acuser de ton propre peché. Ceux qui te congnoissent sçavent si je mens ou non. La colere que tu descharges sur les pauvres Astres, ne vient pas de là. Il me souvient d'avoir autrefois accomparé sept poëtes de mon temps à la splendeur 395 des sept estoilles de la Pleiade, comme autrefois on avoit fait des sept excellens Poëtes grecs qui florissoient presque d'un mesme temps [24]. Et pource que tu es extremement marry dequoy tu n'estois du nombre, tu as voulu injurier telle gentille troupe avecques moy. *Du* 400 *doux poison :* tu trouveras ce mot de poison plus usité au genre féminin qu'au masculin, mais tu ressembles aux Atheniens [25]. Cet article avecques bon tesmoignage sera traitté plus amplement en ta vie et en celle de l'ignorant Drogueur, que tu voirras bien tost de la main 405 d'un excellent ouvrier. *Brave cerveau :* brave se refere plus tost aux habillemens qu'à l'esprit. Achevons les deux autres coupletz :

J'ay toutesfois une autre recompence,
Car l'Eternel qui benist l'impuissance
410 *Mesme aux enfans qui sont dans le Berceau,*

Veut par mes vers peut estre rendre egalle
Ta grand misere à celle de Bupale[26],
Qui d'un licol a basty son tombeau.

Car l'Eternel : je m'esbahis comme tu parles de l'Eternel, veu que tu le cognoissois bien peu ce dernier esté : mais cecy n'est pas un Solœcisme, c'est un Atheisme. *Ta grand misere :* tu devois dire colere, manie, forcenerie, ou autre chose semblable. Car Bupale ne fut pas miserable, si ce n'est comme on dit, *ab effectu,* mais il devint si furieux par les vers d'Hipponax qu'à la fin il se pendit. *Qui d'un licol :* aprens à parler proprement, tu devois dire en lieu de bastir un tombeau d'un licol, trama, filla, ordit, ou autres choses plus propres à ton licol. Je te conseille de regarder une autre fois de plus pres à ce que tu feras, car sans mentir on peut dire de ton long ouvrage mal digeré :

'Ασσυρίου ποταμοῖο μέγας ῥόος, ἀλλὰ τὰ πολλὰ
Αύματα γῆς, καὶ πολλὸν ἐφ' ὕδασι συρφετὸν ἕλκει[27].

Conclusion : puis que pour tes medisances le Soleil ne laisse de me luire, ny la terre de me porter, les vens de me recréer, et l'eau de me donner plaisir, que je n'en perds l'apetit ny le dormir, et que je n'en suis moins dispos ni gaillard : je proteste de ne m'en soucier jamais, ny te faire cest honneur de te respondre, ny à tes compaignons, qui comme toy se veulent avancer, blasmant les personnes dont l'honneur ne peut estre blessé par leur injurieux caquet. Si tu as envie de faire le charlatan avecques ton Drogueur, tu le pourras faire, car voz reputations sont si obscures, qu'à peine sont elles congnues des palefreniers, et le vray moyen de [ne] les oublier est de rebruler encores le temple d'Ephese, ou si vous ne pouvez le faire, il fault, pour vous avancer entre les meschants comme vous, injurier l'honneur des hommes vertueux. Quant à moy je seray tousjours bien ayse de vous mettre en caprice et en cervel, et vous faire crucifier vous mesme

445 par une envie qui vous ronge le cœur, de me voir estimé des peuples estrangers et de ceux de ma nation.

Or toy, candide et benevole Lecteur, qui as pris la peine de lire le discours de ceste Epistre, tu me pardonneras s'il te plaist, si en lieu de te contenter je t'ay donné 450 occasion de facherie, et pour recompense je te supplie de recepvoir d'aussi bonne volonté ces œuvres non encores imprimées que de bon cœur je te les presente. Suppliant treshumblement celuy qui tout peut, te donner tresheureuse et treslongue vie, et à moy la grace de le servir de 455 tout mon cœur, et de veoir les troubles de ce Royaume bien tost appaisez, afin que toutes sortes de bonnes lettres puissent florir soubz le regne de nostre Roy Charles, duquel Dieu tout puissant benisse la jeunesse, et auquel je souhaitte les ans d'Auguste, la paix et la felicité [28].

IX

PARAPHRASE DE *TE DEUM* (1565)

O Seigneur Dieu nous te loüons,
Et pour Seigneur nous t'avoüons,
Toute la terre te revere
4 Et te confesse eternel pere.

Toutes les puissances des Cieux,
Tous les Archanges glorieux,
Cherubins, Seraphins te prient,
8 Et sans cesse d'une voix crient :

Le Seigneur des armes est saint,
Le Seigneur des armes est craint,
Le ciel et la terre est remplie
12 Du loz de sa gloire accomplie.

Les saintz Apostres honorez,
Les Martirs de blanc decorez,
La troupe de tant de Prophettes
16 Chantent tes louanges parfaittes.

L'Eglise est par tout confessant
Toy pere grand Dieu tout puissant,

De qui la majesté immense
20 N'est que vertu, gloire et puissance.

Et ton filz de gloire tout plain,
Venerable, unique et certain,
Et le saint Esprit qui consolle
24 Les cœurs humains de ta parolle.

Christ est Roy de gloire en tout lieu,
Christ est l'Eternel filz de Dieu,
Qui pour oster l'homme de peine
28 Ha pris chair d'une vierge humaine.

Il a vaincu par son effort
L'eguillon de la fiere mort,
Ouvrant la maison eternelle
32 A toute ame qui est fidelle.

Il est à la dextre monté
De Dieu pres de sa majesté,
Et là sa ferme place il fonde
36 Jusqu'à tant qu'il juge le monde.

O Christ eternel et tout bon,
Fay à tes serviteurs pardon,
Que tu as par ta mort amere
40 Racheté de rançon si chere.

Fay nous enroller, s'il te plaist,
Au nombre du troupeau qui est
De tes esleus, pour avoir place
44 En paradis devant ta face.

Las ! sauve ton peuple, ô Seigneur,
Et le benis de ton bon heur,
Regis et soustien en tout aage
48 Ceux qui sont de ton heritage.

Nous te benissons tous les jours,
Et de siecle en siecle toujours
(Pour mieux celebrer ta memoire)
52 Nous chantons ton nom et ta gloire.

O Seigneur Dieu, sans t'offencer
Ce jour icy puisse passer,
Et par ta sainte grace accorde
56 A nos pechez misericorde.

Seigneur tout benin et tout doux,
Respans ta pitié desur nous,
Ainsi qu'en ta douce clemence
60 Avons toujours nostre esperance.

En toy, Seigneur, nous esperons,
T'aymons, prions et adorons,
Car ceux en qui ta grace abonde
64 N'iront confus en l'autre monde.

X

L'HYDRE DEFFAICT
OU
LA LOUANGE DE MONSEIGNEUR LE DUC D'ANJOU, FRERE DU ROY (1569)

Il me fauldroit une durable main
La voix de fer, et la plume d'airain [1],
Si je vouloy par une digne histoire,
4 De ce grand Duc escrire la victoire :
Et les vertuz qui demy-dieu le font,
Et les lauriers qu'il s'est mis sur le front,
Par la conduicte heureuse de sa mere.
8 Ce Duc qui eut un grand Roy pour son pere,
Un frere Roy, et qui doibt acquerir
Un aultre sceptre avant que de mourir [2].
C'est ce Henry, (second honneur de France)
12 Fils de Henry, que Mars dés son enfance
(Comme sa race) en son giron nourrit,
Et le mestier des armes luy apprit.
Et couronnant son berceau de lierre
16 Et de laurier, le fist naistre à la guerre.
Ainsi jadis le grand Saturnien [3]
Fut alaitté dans l'antre Dictien,
Entre le bruit des boucliers et des armes :

20 Ainsi jadis ces deux fameux gensdarmes
Le fort Achille et Jason au giron
Furent nourriz du centaure Chiron :
Qui aux combats sans crainte se pousserent
24 Et de bien loing leurs peres surpasserent.
Ainsi ce Prince en la guerre nourry
Passe les faicts de son pere Henry.
Il est bien vray que du bout de sa lance
28 Henry borna plus oultre [4] nostre France,
Et sur le Rhin planta les fleurs de liz :
Mais ces subjects pour lors estoient uniz,
Qui sans discord, chacun en son office,
32 A ce bon Roy faisoient humble service :
Où [5] ce grand Duc a trouvé les François
Tous divisez de vouloir et de loix,
Qui forcenez sacageoient la province,
36 Faisant sonner le fer contre leur Prince,
Tant peult le peuple aux armes ehonté,
Quand sa vertu la malice a domté [6],
Et par l'effort d'une jeune prudence,
40 Des partiaux a froissé l'impudence,
Le fer au poing, leur emplissant le cœur
D'obeissance et de honte et de peur.
O gentil Prince ! ainsi la fiere audace
44 De Hannibal abandonna la place
A Scipion, jeune prince Romain :
Ainsi Cartage a bronché soubs sa main.
Mais à qui doibs-je egaler la Jeunesse
48 De ce Henry sinon à la prouësse
Du jeune Pyrrhe, enfant Achillien,
Foudre et terreur du mur Dardanien [7] ?
Tous deux yssus d'une race Royalle,
52 Tous deux ornez d'une ame liberalle :
Jeunes tous deux, et de qui le menton
Estoit à peine encrespé d'un cotton,
Blonde toison qui sort pour le message
56 Que l'homme vient en la fleur de son aage :

Tous deux guerriers amoureux et courtois,
L'un l'heur de Grece, et l'autre des Gaulois.
L'un quant la Grece estoit toute troublée,
60 Venant à Troie [8], accorda l'assemblée,
Donna l'assaut, vainquit son ennemy,
Et le feit choir ammoncelé parmy
Les durs cailloux tumbez de ses murailles,
64 Et seul mist fin à dix ans de batailles,
Et d'un tour d'œil parachever a sceu
Ce que son pere en dix ans n'avoit peu.
Nostre Duc vint, quand la France estonnée
68 De factions, de troubles et menée
Sans frain, sans bride, erroit à son plaisir
Voulant pour loy la liberté choisir,
De gros bouillons s'eslevoit toute enflée,
72 Comme la mer des Aquilons souflée,
Qui la navire agitent, et sans art
Le pilot laisse aller tout au hazard :
Quand sur la pouppe ou bien dessus la prouë
76 Reluist le feu des Jumeaux, qui se jouë
Or sur l'antenne or sur le mast, et faict
La mer tranquille, et le vent à souhait :
Ainsi ce Duc s'apparut à noz peines.
80 Noz vieux soldats et noz vieux cappitaines
Estoient perduz [9], et ne restoit sinon
Des vieux Gaulois que l'umbre et que le nom.
Il s'eschauffa d'une ame non commune,
84 Il entreprist de forcer la fortune,
Et au danger surmonter le destin
Et le project que l'envieux mutin
Se proposoit par belle couverture,
88 Et pour son frere [10] essaya l'avanture
On dit qu'Alcide en vivant acheva
Treize labeurs [11] : celuy qui controuva
Tant de travaux mis à fin par Hercule
92 Estoit menteur et de creance nulle.
Il suffit bien qu'un homme en son vivant

Aille sans plus une guerre achevant.
Or ce Henri a faict chose impossible
96 Tuant un Hydre au combat invincible,
Et seul de tous par armes a deffaict
Ainsi qu'Hercule un Serpent contrefaict,
Aux yeux ardents, à la gueule escumeuse,
100 A la poictrine infette et venimeuse,
Qui d'un seul col trois testes esbranloit,
Et seulement sept arpents ne fouloit
Dessous sa panse horrible et Stigienne [12],
104 Mais, se roullant par toute la Guyenne,
Sa noire quëue à la Rochelle avoit,
Et ses trois chefs en Vienne abreuvoit:
Monstre cruel, qui de sa seulle haleine
108 Corrompoit l'air, les fleuves et la plaine.
Dedans sa griffe Angoulesme empietoit,
Son estomac en rampant se portoit
Dessus Niort, et sa large poictrine
112 Foulloit par tout la terre Poictevine.
Nul, tant fust preux, assaillir ne l'oza,
Ce jeune Duc hazardeux s'oppoza
Seul à l'effroy d'une si fiere beste,
116 Et luy couppa pres Lymoge une teste,
Qui se mouvoit conduicte par Mouvant [13].
De son gozier elle souffloit au vent
Flamme sur flamme en salpestre allumée,
120 Chaude de braize et d'obscure fumée,
Et allumoit tous les champs d'alentour.
Mais ce bon Duc, ennemy de sejour,
Sans craindre chaud, ny peste, ny gelée,
124 De glace royde et de gresle meslée,
Et les moys froids où le soleil ne vit,
En mesprisant l'hyver, le poursuivit
Si vivement qu'à la fin il rancontre
128 Encore un coup les testes de ce monstre.
Aupres Jarnac ce Henry lui couppa
Un autre chef [14], mais l'Hydre le trompa,

Car prenant vie et vigueur de sa playe
132 Plus que devant le combat il essaye,
Et du seul chef qui des trois demeura,
Du premier coup Lusignan devora [15] :
Puis ranforcé de force et de courage
136 Se renoüant noeu sur noeu d'avantage,
En se cachant par deux mois tous entiers
Dans un marest, voulut manger Poictiers [16].
Mais pour neant il jectoit sa menace,
140 Car ce grand Duc luy feit quitter la place,
Et l'attirant en la plaine au combat,
De ces trois chefs le dernier luy abbat [17].
Pour ce jourd'huy en fin il faict deffense,
144 N'ayant plus rien que la queüe et la panse,
Qui se recherche et tasche à rassembler
Son corps tranché qui ne faict que trembler.
Au dernier coup que sa teste couppée
148 Bagna le camp souz l'Angevine espée [18],
Il s'escria d'un siflement si hault,
Que Moncontour, Sainct Jouyn et Arvault
En ont tremblé, et la riviere Dyve
152 Toute effroyée en trembla sur sa rive.
Son corps perclus, sinueux rampant,
En se virant arpent dessus arpent,
Champ dessus champ, d'une vieille cautelle
156 Trompant les siens a gaigné la Rochelle,
Où par vergongne il cache sa douleur
Soubz un semblant de ne craindre un malheur.
Il faut pousser, il faut l'œuvre parfaire,
160 Il faut tuer le corps de l'adversaire,
Sans le laisser reprendre ou rechercher.
Il fault, mon Duc, la despouille attacher
Toute sanglante au dessus de la porte
164 Du Temple sainct, que d'herbe en mainte sorte [19]
Et de gazons agencez rudement,
Je veux bastir où Loire durement,
Bagne de Tours les rivages contraires,

168 Et sera dict LE TEMPLE DES DEUX FRERES [20].
Ainsi Castor et Pollux n'estant qu'un
N'avoient aussi qu'un mesme autel commun.
Ainsi Phœbus en la barbe où vous estes
172 Occist Python de ses jeunes sagettes,
Et appendit pour spectacle immortel
La beste entiere, offrande à son autel.
Car la moitié n'est jamais honorable,
176 Tousjours le tout aux dieux est agreable,
Et rien ne sert de combattre à demy,
Il fault du tout vaincre son ennemy.
Les Deliens au retour de l'année
180 Devant le temple à la feste ordonnée,
Tournoient le bal, chantans tous d'une voix,
Comme Appollon tira de son carquois
Les premiers traicts, et d'ardente secousse
184 Fit du serpent toute la terre rousse [21].
Et je diray comme nostre Appollin,
Ce jeune Duc, ce guerrier Herculin,
Esleu de tous Cappitaine publique [22]
188 Coupa les chefs au serpent Hugnotique,
Lequel avoit ce Royaume embrazé,
Fouillé les morts, sacrilege brizé
Les Temples saincts, honny nos bons Images,
192 Et d'un beau nom couvert ses brigandages.
Devant le Temple, à vous, freres, sacré,
Soit à la pleine, ou au milieu d'un pré,
Me souvenant de voz belles conquestes,
196 Feray des jeux et chomeray voz festes.
Nœud dessus nœud un chapeau je pliray
Dessus mon front, ma teste j'empliray
De vin d'Anjou jusqu'aux levres moillée,
200 Et de la nuict d'estoilles habillée
Jusques au jour je diray vos honneurs,
Freres divins, noz Hercules sauveurs,
Vous invoquant tous deux dés vostre enfance,
204 Comme les dieux qui ont sauvé la France.

XI

LES ELEMENS ENNEMIS DE L'HYDRE (1578)

Non seulement les hommes ont fait teste
A ceste horrible abominable beste,
A ce serpent, qui de grandeur eust bien
4 Esté la peur du bras Tyrinthien [1] :
Mais l'Air glueux d'une espaisse gelee
Et d'une neige en la pluye meslee
Et d'un long froid de glaces renfermé
8 S'est contre luy cruellement armé.
La Terre, mere à la grasse mammelle,
Qui porte tout, portant en despit d'elle
Dessus son doz un peuple si troublé,
12 Nia son vin, ses pommes et son blé,
Et de ses fils detestant la misere,
Devint marastre en lieu de bonne mere,
Et maudissoit nostre siecle rouillé,
16 Siecle de fer, de meurtre tout souillé,
Tout detraqué de mœurs et de bien vivre,
Un siecle, non, ny de fer ny de cuivre,
Mais de bourbier en vices nompareil,
20 Que malgré luy regarde le Soleil.
Le Ciel couvé de flames corrompues
Et de vapeurs croupissantes és nues

Nous empesta de fiévres qui nous font
24 Venir le froid et la chaleur au front:
Puis le catherre et les hydropisies,
Langueurs, palleurs, pestes et frenaisies
A gueule ouverte erroient ainsi que l'ours,
28 Signes que Dieu se faschoit contre nous,
Ayant horreur d'une si longue guerre:
Ses mauvais traicts versa dessus la terre,
Pour estouffer par l'exces d'un Esté
32 Ce vieil Python de Megere alaitté [2],
Qui d'un grand ply couvoit dessous sa pance
Flamens, Anglois, Allemans, et la France,
Et de son laict les nourrissant, faisoit
36 Que leur pays et Dieu leur desplaisoit.
Que dirons nous des flots de nostre Loire
Qui, affectant sa part en la victoire,
En l'Air moiteux ses vagues envoya,
40 Et pres Saumur ses ennemis noya
Pour ne souffrir qu'une gent si maline
Contre son gré luy foulast la poictrine?
Se desbordant, par six mois il [3] osa
44 Tant s'eslever, qu'au monstre s'opposa,
Le menaçant de sa corne venteuse.
Lors le serpent, d'une frayeur douteuse,
Voyant le fleuve, et craignant ses abois,
48 N'osa tenter au combat achelois [4]
Nostre bon Loire, invincible defence
De nostre armee et de toute la France.
Donc si les Rois, et tous les Elemens
52 Se sont monstrez ennemis vehemens
De ce Python, il faut que la Nature
Les Elemens, et toute creature
Soient deniez à ce monstre nouveau:
56 L'air et le feu, toute la terre et l'eau,
Qui, monstre fier, les denioit aux hommes.
Il ne faut point, Terre, que tu consommes
Si mauvais corps, qui trenchoit en tout lieu

60 Oreille et nez aux ministres de Dieu,
Sans s'esmouvoir de passion humaine,
Ains tout enflé d'une arrogance vaine
Les honnissoit d'injures et de coups.
64 Pource il doit estre ou pasture des loups,
Ou des corbeaux, ou des chiens solitaires,
Qui renversa temples et cimetaires [5].
Or luy, voyant qu'il n'y avoit lieu sainct
68 Pour l'enterrer, luy mesme s'est contrainct
De s'enfuyr, et prolongeant ses peines
D'aller choisir les Isles de Maraines [6]
Son vray sepulchre, à fin que tous les flots
72 Loin de la France en respandent les os
Semez au vent, et que de son histoire
Ne soit jamais ny livre ny memoire.

XII

PRIERE A DIEU POUR LA VICTOIRE (1578)

Donne, Seigneur, que nostre ennemy vienne
Mesurer mort, les rives de la Vienne,
Et que sanglant de mille coups persé,
4 Dessus la poudre il tombe renversé,
Aupres des siens au milieu de la guerre,
Et de ses dents morde la dure terre,
Plat estendu comme un Pin esbranché
8 Qu'un charpentier de travers a couché
Au prochain bord, puis le fer le decouppe
Pour le tourner en forme d'une pouppe,
Ou de charue, à fin que l'un des deux
12 Aille voguer par les chemins venteux,
Que la tormente et la mort accompagne,
Et l'autre fende une large campagne.
Au Pin tombé soit pareil l'ennemy,
16 Sans bras, sans teste, amoncellé parmy
Le plus espais d'un charongneux carnage,
Ayant pour tombe un sablonneux rivage.
Donne, Seigneur, que l'avare Germain,
20 Ces Reistres fiers [1] puissent sentir la main
Du jeune Duc [2], si qu'une mort cruelle
Face qu'un seul n'en conte la nouvelle

En ce pays que le Rhin va lavant,
24 Et que leur nom se perde en nostre vent,
Et qu'à jamais leur morte renommee
S'esvanouisse ainsi qu'une fumee,
Et que leurs corps accablez de cent coups
28 Soient le disner des corbeaux et des loups.
O Tout-puissant, donne que nostre Prince
Sans compagnon [3] maistrise sa province :
Et que pompeux de brave majesté
32 Entre à Paris en triomphe porté,
Et que sans grace et sans misericorde
Traine lié l'ennemy d'une corde,
Bien loing derriere à son char attaché,
36 Punition de son grave peché
D'avoir osé d'une vaine entreprise
Forcer le Ciel, nostre Prince, et l'Eglise
Que Dieu bastit d'un fondement tresseur :
40 Aussi son bras en est le defenseur [4].
Donne, Seigneur, que la chance incertaine
Ne tombe point sur noz champs de Touraine,
Que noz raisins, noz bleds et noz vergers
44 Aux laboureurs ne soient point mensongers,
Trompant les mains de la jeunesse blonde
Que le Danube abbruve de son onde,
Et les nourrist superbes et felons
48 Comme les fils des oursaux Aquilons,
Qui vont soufflant à leurs fieres venues
Loin devant eux les legions des nues,
Comme ceux-cy soufflent en notre sein
52 Un camp armé de pestes et de fein.
Donne, Seigneur, que l'infidele armee
Soit par soymesme en son sang consumee :
Qu'elle se puisse elle mesme tuer,
56 Ou bien du Ciel qu'il te plaise ruer
Ton feu sur elle, et que toute elle meure
Si que d'un seul la trace ne demeure :
Comme il advint dedans le champ de Mars,

60 Quand la moisson Colchide de soudars
Nasquit de terre en armes herissee,
Que mesme jour vit naistre et trespassee [5].
O Seigneur Dieu, ma priere adviendra.
64 Ta gauche main son Egide prendra,
Le fer ta dextre, ains que Phœbus s'abbaisse
Tout haletant au sein de son hostesse [6].
Ou bien, Seigneur, si l'ennemy poursuit
68 Tant le combat, qu'on le veinque de nuit,
L'Aube vermeille au large sein d'yvoire
Puisse en naissant annoncer la victoire :
Et moy, qui suis le moindre des François,
72 D'estomac foible et de petite vois,
Je chanteray de ce Duc la louange [7] :
Afin, Seigneur, que toute terre estrange
Craigne la France, et ne passe son bord :
76 Ou le passant, le prix en soit la mort.
Vivent, Seigneur, noz terres fortunees,
A qui tu as tes Fleurs-de-liz donnees [8].
Vive ce Roy, et vivent ses guerriers,
80 Qui de Poictiers remportent les lauriers [9],
Lauriers gaignez, non selon la coustume
Des courtisans, par l'ocieuse plume [10],
Le lict, l'amour, mais bien par la vertu,
84 Soin et travail, par un rempart battu
Et rebattu de ces foudres humaines,
Par veille et faim, par soucis et par peines,
Et qui nous ont par leur sang acheté
88 D'un cœur hardy la douce liberté.
Borne le cours, l'entreprinse et l'audace
Des ennemis, qu'une si foible place
A fait froisser, briser et trebucher,
92 Comme une nef se rompt contr' un rocher,
Qui retournoit de Carpathe ou d'Aegee,
Joyeuse au port de lingots d'or chargee :
Mais en voulant dedans le havre entrer,
96 Par un destin elle vient rencontrer

Un grand rocher qui la froisse au rivage,
Perdant son bien, que la mer, que l'orage
N'avoit sceu rompre : Ainsi cest Admiral
100 Ayant passé maint travail et maint mal,
Perte de gens et perte de muraille,
Une premiere et seconde bataille
S'est venu rompre en cent mille quartiers
104 Contre les murs bien foibles de Poictiers [11].
Là ses cheveux, qui par l'âge grisonnent,
Donnerent place aux Princes, qui cottonnent
D'un jeune poil leurs mentons, et encor
108 Ne sont crespez que de petits fils d'or [12].
Cœurs genereux, hostes d'une belle ame,
On dit bien vray : Fortune est une femme,
Qui aime mieux les jeunes que les vieux [13].
112 Les jeunes sont tousjours victorieux,
Tousjours le chaut surmonte la froidure,
Du gay Printemps plaisante est la verdure,
Et le Soleil en naissant est plus beau
116 Que le couchant qui se panche au tombeau.
Donne, Seigneur, que ceste barbe tendre
Puisse à la grise une vergongne apprendre,
Et qu'au seul bruit de ce grand Duc d'Anjou
120 Les ennemis ployent dessous le jou,
Imitateur de l'esprit de son frere,
Imitateur des vertus de son pere,
Imitateur de ces Ducs Angevins,
124 Princes guerriers [14], qui hautains et divins,
N'estimans point les petites conquestes,
Jusques au ciel ont eslevé les testes,
Et mesprisans la mer et les dangers,
128 Terres, travaux, et peuples estrangers,
Conquirent seuls d'une force asseuree
Tyr et Sidon, Nicee et Cesaree,
Et la cité où Jesus autrefois
132 Pour noz pechez ensanglanta sa croix.
Donne, Seigneur, que mon souhait avienne,

Que l'ennemy aux rives de la Vienne
Tombe sanglant, de mille coups persé,
136 Dessus la poudre en son long renversé
Aupres des siens, au milieu de la guerre,
Et de ses dents morde la dure terre,
Comme insensé de voir tous ses desseins
140 Vent et fumee eschapper de ses mains.

XIII

PROGNOSTIQUES SUR LES MISERES DE NOSTRE TEMPS (1584).

Long temps devant que les guerres civiles
Brouillassent France, on vit parmi nos villes
Errer soudain des hommes incognus,
4 Barbus, crineux, crasseux et demi-nus,
Qui transportez de noire frenaisie,
A tous venans contoyent leur fantaisie
En plein marché, ou dans un carrefour,
8 Dés le matin jusqu'au coucher du jour,
Hurlans, crians, tirans de place en place
A leurs talons enfans et populace.
Non seulement le peuple sans raison
12 Pour les ouyr sortoit de sa maison :
Mais les plus grans et les plus sages furent
Ceux, qui par crainte à table les receurent,
Devotieux (croyans en verité
16 Que par leur voix parloit la Deité)
Fust Huguenot, fust neutre, ou fust Papiste.
L'un se disoit sainct Jean l'Evangeliste,
Qui se vantoit (fantastique d'esprit)
20 D'avoir dormi au sein de Jesus-Christ [1].
Bien que son art fust de fondre le cuivre,

Vray Alchimiste, et qu'il apprint à vivre
Aux idiots : luy-mesmes ne sceut pas
24 Vivre pour luy, ny prévoir son trespas,
Soit qu'il mourust par vice ou par simplesse.
Un qui crioit, enflé de hardiesse,
La Monarchie, et Cesar se vantoit,
28 Vint apres luy [2] : il disoit qu'il estoit
Ce grand Cesar, qui au fil de l'espée
Par sang civil baigna Rome et Pompée.
Ce fol estoit de nation Romain,
32 Qui soustenoit une boule [3] en sa main,
Et sur le chef un fourré diadême.
Lors je disois tout pensif en moy-mesme :
« Assez et trop nostre France a de fouls,
36 Sans que le Tybre en respande sur nous :
Sans nous donner un Cesar, qui l'Empire
Fist trebucher, et qui nous vient predire
Un changement ou d'estat ou de lois. »
40 Apres luy vint le bon Roy des Gaulois [4],
Jadis pedant, qui avoit la pensée
Et la raison à demi-renversée,
Et qui tirant tout Paris apres soy,
44 Des vieux Gaulois se vantoit d'estre Roy.
Or quand on voit que tout soudain un homme
Resve, radotte et pensif se consomme,
D'yeux saffranez, de sourcils renfrongnez,
48 D'ongles crasseux, de cheveux mal-peignez,
Palle, bouffi, d'espouventeuse œillade,
On dit qu'il est, ou qu'il sera malade,
Pource qu'on voit les signes par dehors
52 Nous tesmoigner les passions du corps.
Ainsi voyant tant de sectes nouvelles
Et tant de fols, tant de creuses cervelles,
Tant d'Almanachs [5] qui d'un langage obscur
56 Comme Démons annoncent le futur :
Et quand on voit tant de monstres difformes,
Qui en naissant prennent diverses formes,

Les pieds à haut, la teste contre-bas,
60 Enfans morts-nez, chiens, veaux, aigneaux et chats
A double corps, trois yeux et cinq oreilles :
Bref, quand on voit tant d'estranges merveilles
Qui tout d'un coup paroissent en maints lieux,
64 Monstres non veus de nos premiers ayeux,
C'est signe seur qu'incontinent la terre
Doit soustenir la famine et la guerre,
Les fleaux de Dieu qui marchent les premiers,
68 Du changement certains avant-courriers [6].

Ou soit que Dieu, comme en lettres de chiffre [7]
Douteusement son vouloir nous dechiffre
D'un charactere obscur et mal-aisé,
72 Soit qu'un Démon de soy-mesme avisé,
Qui vit long temps, et a veu mainte chose,
Voyant le Ciel qui ses Astres dispose
A bien ou mal, comme il veut les virer,
76 Se mesle en l'homme, et luy vient inspirer,
En le troublant, une parolle obscure,
Soit que cela se face d'aventure,
Je n'en sçay rien : l'homme qui est humain,
80 Ne tient de Dieu le secret en la main.
Mais je sçay bien que Dieu qui tout ordonne,
Par signes tels tesmoignage nous donne
De son courroux, et qu'il est irrité
84 Contre le Prince, ou contre la Cité,
Où le peché s'enfuit davant la peine.
D'exemples tels la Bible est toute pleine.

L'esprit [illegible] mal [illegible]
Enfants, nourrices, chiens, veaux, agneaux, [illegible]
Combien donc est [illegible] notre [illegible]
[illegible] quand [illegible] étranges [illegible]
Qui [illegible] seul en [illegible]
[illegible] nos [illegible]
Cependant ceux qui [illegible] la terre
Doit [illegible] sur la famine et le [illegible]
Les [illegible] de Dieu [illegible]
[illegible]
Dit-on que Dieu continuer [illegible]
Douloureusement [illegible] déchiré
[illegible]
[illegible]
[illegible]
[illegible]
[illegible]
Se [illegible] peut [illegible]
En [illegible]
[illegible]
[illegible]
[illegible] de Dieu [illegible]
[illegible]
[illegible]
[illegible]
[illegible]
[illegible]
[illegible]

DERNIERS VERS (1586)

STANCES

J'ay varié ma vie en devidant la trame
Que Clothon [1] me filoit entre malade et sain,
Maintenant la santé se logeoit en mon sein,
4 Tantost la maladie extreme fleau de l'ame.
La goutte ja vieillard me bourrela les veines,
Les muscles et les nerfs, execrable douleur,
Montrant en cent façons par cent diverses peines
8 Que l'homme n'est sinon le subject de malheur.
L'un meurt en son printemps, l'autre attend la vieil-
[lesse,
Le trespas est tout un, les accidens divers:
Le vray tresor de l'homme est la verte jeunesse,
12 Le reste de nos ans ne sont que des hivers.
Pour long temps conserver telle richesse entiere
Ne force ta nature, ains ensuy la raison,
Fuy l'amour et le vin, des vices la matiere,
16 Grand loyer t'en demeure en la vieille saison.
La jeunesse des Dieux aux hommes n'est donnee
Pour gouspiller sa fleur, ainsi qu'on void fanir
La rose par le chauld, ainsi mal gouvernee
20 La jeunesse s'enfuit sans jamais revenir.

SONETS

I

Je n'ay plus que les os, un Schelette je semble,
Decharné, denervé, demusclé, depoulpé,
Que le trait de la mort sans pardon a frappé,
4 Je n'ose voir mes bras que de peur je ne tremble.
Apollon et son filz [2] deux grans maistres ensemble,
Ne me sçauroient guerir, leur mestier m'a trompé,
Adieu plaisant soleil, mon œil est estoupé,
8 Mon corps s'en va descendre où tout se desassemble.
Quel amy me voyant en ce point despouillé
Ne remporte au logis un œil triste et mouillé,
11 Me consolant au lict et me baisant la face,
En essuiant mes yeux par la mort endormis?
Adieu chers compaignons, adieu mes chers amis,
14 Je m'en vay le premier vous preparer la place.

II

Meschantes nuicts d'hyver, nuicts filles de Cocyte [3]
Que la terre engendra d'Encelade les seurs,
Serpentes d'Alecton, et fureur des fureurs,
4 N'aprochez de mon lict, ou bien tournez plus vitte.
Que fait tant le soleil au gyron d'Amphytrite?
Leve toy, je languis accablé de douleurs,
Mais ne pouvoir dormir c'est bien de mes malheurs
8 Le plus grand, qui ma vie et chagrine et despite.
Seize heures pour le moins je meur les yeux ouvers,
Me tournant, me virant de droit et de travers,
11 Sus l'un sus l'autre flanc je tempeste, je crie,
Inquiet je ne puis en un lieu me tenir,
J'appelle en vain le jour, et la mort je supplie,
14 Mais elle fait la sourde, et ne veut pas venir.

III

Donne moy tes presens en ces jours que la Brume[4]
Fait les plus courts de l'an, ou de ton rameau teint
Dans le ruisseau d'Oubly dessus mon front espreint,
4 Endor mes pauvres yeux, mes gouttes et mon rhume.
Misericorde ô Dieu, ô Dieu ne me consume
A faulte de dormir, plustost sois-je contreint
De me voir par la peste ou par la fievre esteint,
8 Qui mon sang deseché dans mes veines allume.
Heureux, cent fois heureux animaux qui dormez
Demy an en voz trous, soubs la terre enfermez,
11 Sans manger du pavot qui tous les sens assomme :
J'en ay mangé, j'ay beu de son just oublieux
En salade cuit, cru, et toutesfois le somme
14 Ne vient par sa froideur s'asseoir dessus mes yeux.

IV

Ah longues nuicts d'hyver de ma vie bourrelles,
Donnez moy patience, et me laissez dormir,
Vostre nom seulement, et suer et fremir
4 Me fait par tout le corps, tant vous m'estes cruelles.
Le sommeil tant soit peu n'esvente de ses ailes
Mes yeux tousjours ouvers, et ne puis affermir
Paupiere sur paupiere, et ne fais que gemir,
8 Souffrant comme Ixion des peines eternelles.
Vieille umbre de la terre[5], ainçois l'umbre d'enfer,
Tu m'as ouvert les yeux d'une chaisne de fer,
11 Me consumant au lict, navré de mille pointes :
Pour chasser mes douleurs ameine moy la mort,
Ha mort, le port commun, des hommes le confort,
14 Viens enterrer mes maux je t'en prie à mains jointes.

V

Quoy mon ame, dors tu engourdie en ta masse?
La trompette a sonné, serre bagage, et va
Le chemin deserté que Jesuchrist trouva,
4 Quand tout mouillé de sang racheta nostre race.
C'est un chemin facheux borné de peu d'espace,
Tracé de peu de gens que la ronce pava,
Où le chardon poignant ses testes esleva,
8 Pren courage pourtant, et ne quitte la place.
N'appose point la main à la mansine, apres
Pour ficher ta charue au milieu des guerets,
11 Retournant coup sur coup en arriere ta vüe:
Il ne faut commencer, ou du tout s'emploier,
Il ne faut point mener, puis laisser la charue.
14 Qui laisse son mestier, n'est digne du loier.

VI

Il faut laisser maisons et vergers et Jardins,
Vaisselles et vaisseaux que l'artisan burine,
Et chanter son obseque en la façon du Cygne,
4 Qui chante son trespas sur les bors Mæandrins.
C'est fait j'ay devidé le cours de mes destins,
J'ay vescu, j'ay rendu mon nom assez insigne,
Ma plume vole au ciel pour estre quelque signe
8 Loin des appas mondains qui trompent les plus fins.
Heureux qui ne fut onc, plus heureux qui retourne
En rien comme il estoit, plus heureux qui sejourne
11 D'homme fait nouvel ange aupres de Jesuchrist,
Laissant pourrir ça bas sa despouille de boüe
Dont le sort, la fortune, et le destin se joüe,
14 Franc des liens du corps pour n'estre qu'un esprit.

POUR SON TOMBEAU

Ronsard repose icy qui hardy dés enfance
Détourna d'Helicon les Muses en la France,
Suivant le son du luth et les traits d'Apollon :
Mais peu valut sa Muse encontre l'eguillon
De la mort, qui cruelle en ce tombeau l'enserre.
Son ame soit à Dieu, son corps soit à la terre.

A SON AME

Amelette Ronsardelette,
Mignonnelette doucelette,
Treschere hostesse de mon corps,
Tu descens là bas foiblelette,
Pasle, maigrelette, seulette,
Dans le froid Royaume des mors :
Toutesfois simple, sans remors
De meurtre, poison, ou rancune,
Méprisant faveurs et tresors
Tant enviez par la commune.
Passant, j'ay dit, suy ta fortune
Ne trouble mon repos, je dors.

POUR SON TOMBEAU

Ronsard repose ici qui hardi dès enfance
Détourna d'Hélicon les Muses en la France,
Suivant le son du luth et les traits d'Apollon :
Mais peu valut sa Muse encontre l'éguillon
De la mort, qui cruelle en ce tombeau l'enserre.
Son âme soit à Dieu, son corps soit à la terre.

À SON ÂME

Amelette Ronsardelette,
Mignonnelette, doucelette,
Très chère hôtesse de mon corps,
Tu descends là-bas faiblelette,
Pâle, maigrelette, seulette,
Dans le froid royaume des morts ;
Toutefois simple, sans remords
De meurtre, poison, et rancune,
Méprisant faveurs et trésors
Tant enviés par la commune.
Passant, j'ai dit, suis ta fortune,
Ne trouble mon repos, je dors.

APPENDICES

APPENDICE I : PIÈCES LATINES

A (1563)

RECIPE [1]

Recipe radicum polypodii quercini, capparis, tamaricis, lapathi ana unciam semis, fumiterrae, buglossi, borraginis, chamaepitheos, chamaedryos, scolopendrii, epithimi, ana manipulum semis, foliorum senne mundatorum drachmas tres, fiat decoctio pro dosi, in colatura dissolve catholici unciam unam, confectionis hamech dragmas tres, syrupi de fumiterrae dragmas sex, fiat potio, detur tempore praedicto. Quod si hoc remedium non satis purgarit humorem melancholicum, augeatur vis ejus addito elleboro, et lapide cyaneo, praeparatis ut decet.

B (1563)

IN P. RONSARDUM [2],
RANAE LEMANICOLÆ COAXATIO

Dum bibis Aonios latices in vertice Pindi,
  Ronsarde, undenas dum quatis arte fides :
Vindocini ruris, gravibus tua personat agros
  Musa modis, Phoebus quos velit esse suos.
Ast ubi cura fuit praepingui abdomine ventrem
  Setigerae latum reddere more suis :
Illorum explesti numerum, qui funera curant,
  Qui referunt fucos, sunt operumque rudes.
Exin Missae agitas numeros : ac tempore ab illo,
  Non tua Musa canit, sed tua Missa canit.

C (1563)

P. Ronsardi Responsum

Non mea Musa canit, canit haec oracula vatis
Patmicolae ranis Musa Lemanicolis.
Obscoenas fore tres foedo cum corpore ranas,
Immundos potius Doemonas aut totidem.
Semper in ore sui qui stantes Pseudoprophetae
Inque Deum, inque pios verba profana crepent.
Vera fides vatis, tu rana es de tribus una,
Altera Calvinus, tertia Beza tuus.
Beza ferens veteris Theodori nomen, eandem
Deque Deo mentem, quam Theodorus, habens.
Talibus o ranis raucissima de tribus illa,
Quae me, qua Superos, garrulitate petis :
Aonios non tu latices in vertice Pindi,
Sed bibis impuros, stagna Sabauda, lacus.
Nec cum pura nitet, sed cum nive turbida mixta,
Et glacie fusa montibus unda fluit.
Inde gelata viam vocis, tumefactaque fauces
Digna coaxasti carmina vate suo.
In quibus, ut decuit gibboso gutture monstrum,
Non nisi ranalis vox strepit ulla tibi.
Nam quod Musa virum doctorum voce vocatur,
Id nunc Missa tibi vox inamoena sonat.
Non nisi rana queat sacra sic corrumpere verba :
Sibila rana fera est, sibila verba crepas.
I nunc, et patriis interstrepe viva lacunis
Inque pios homines quidlibet, inque Deum.
Mortua dum, pacem ne turbes rana piorum
Nigra, lacu Stygio, vel Phlegetonte nates.
Donec in ardenti, causam raucedinis, unda
Excutias frigus, quo tua Musa riget.

D (1567)

AD CAROLUM AGENOREUM [3]
EPISCOPUM CENOMANENSEM

Epigramma

Materiam vellem meliorem fata dedissent
   Spectandi egregios marte vel arte viros
Quam nuper Gallis : Jove nam damnante dederunt
   Tristia proque aris proelia proque focis.
Si tamen haud alia licuit ratione probare
   In patriam quantus fortibus esset amor,
Pace tua dicam fuit hoc, o Gallia, tanti
   Visa quod es vires ipsa timere tuas.
Si modo sic patuit pro laude subire pericla
   Qui posset patriae proque salute suae
Ronsardus patriam patriis defenderat armis,
   Carminibus patriis patria sacra canens.
Digna tuo quondam quae nomine charta legatur,
   Carole, Agenoreae gloria magna domus :
Qui velut auspiciis iisdem quibus usus et ille
   Cenomani vindex ausus es esse soli.
Sic tamen ut linguae post sancta pericula linguam
   Non timidam fortis sit comitata manus.

E (1567)

IN LAUDEM RONSARDI [4]

Illisos fluctus rupes ut vasta refundit
Et varias circum latrantes dissipat undas
Mole sua, sic tu tacita gravitate minutos
Frangere debueras istos, Ronsarde, poetas
Nominis obscuri, audaces discrimine nullo,
Qui tecum certasse putant praeclarius, omnes
Quam vicisse pares, sed postquam non ita visum,
Utque parens puero interdum doctusque magister

Respondent blande illudentes vana loquenti,
Sic tu etiam insano vis respondere poetae,
Quamvis ille tua dignum nil proferat ira?
Cygne ululam nec dedignaris candide nigram?
Eia age! sed catulo adlatranti seu fremit ingens
Ore leo, exertum subito nec conjicit unguem,
Sic tu etiam miserum sermone illude minaci
Tantum, terrifica vibres nec fulmina lingua.
Sat, Ronsard, tibi, sat sit memorasse superbi
AEolidae poenas qui non imitabile fulmen,
Elide, dum simulat demens, est turbine praeceps
Immani tristes Erebi detrusus ad umbras.
Sic tibi tam charum caput hoc quicunque lacesset,
Phoebe, perire sinas, lauri nec sacra corona
Illius indoctam frontem, si forte revincit,
Ingratum servet, nescit qui parcere lauro.

APPENDICE II

ELEGIE A J. GREVIN (1561)

Grevin, en tous mestiers on peult estre parfaict:
Par longue experience un advocat est faict
Excellent en son art, et celuy qui pratique
Dessus les corps humains un art Hippocratique:
5 Le sage Philosophe, et le grave Orateur,
Et celuy qui se dit des nombres inventeur
Par estude est sçavant: mais non pas le Poëte,
Car la Muse icy bas ne fut jamais parfaicte,
Ny ne sera, Grevin: la haulte Deité
10 Ne veult pas tant d'honneur à nostre humanité
Imparfaicte et grossiere: et pource elle n'est dine [1]
De la perfection d'une fureur divine.
Le don de Poësie est semblable à ce feu,
Lequel aux nuicts d'hyver comme un presage est veu
15 Ores dessus un fleuve, ores sur une prée,
Ores dessus le chef d'une forest sacrée,
Sautant et jallissant, jettant de toutes pars
Par l'obscur de la nuict de grans rayons espars [2]:
Le peuple le regarde, et de frayeur et crainte
20 L'ame luy bat au corps, voyant la flame saincte.
A la fin la clarté de ce grand feu descroist,
Devient palle et blaffart, et plus il n'apparoist:
En un mesme pays jamais il ne sejourne,
Et au lieu dont il part jamais il ne retourne:

25 Il saute sans arrest de cartier en cartier,
Et jamais un païs de luy n'est heritier,
Ains il se communique, et sa flame est montrée
(Où moins on l'esperoit) en une autre contrée.
Ainsi ny les Hebreux, les Grecs, ny les Romains
30 N'ont eu la Poësie entiere entre leurs mains :
Elle a veu l'Allemagne, et a pris accroissance
Aux rives d'Angleterre, en Escosse, et en France,
Sautant deçà delà, et prenant grand plaisir
En estrange païs divers hommes choisir,
35 Rendant de ses rayons la province allumée,
Mais bien tost sa lumiere en l'air est consumée.
La louange n'est pas tant seulement à un,
De tous elle est hostesse, et visite un chacun,
Et sans avoir égard aux biens ny à la race,
40 Favorisant chacun, un chacun elle embrasse.
Quant à moy, mon Grevin, si mon nom espandu
S'enfle de quelque honneur, il m'est trop cher vendu,
Et ne sçay pas comment un autre s'en contente :
Mais je sçay que mon art grevement me tourmente,
45 Encore que, moy vif, je jouysse du bien
Qu'on donne apres la mort au mort qui ne sent rien [3].
Car pour avoir gousté les ondes de Permesse
Je suis tout aggravé de somne et de paresse,
Inhabile, inutile : et qui pis, je ne puis
50 Arracher cest humeur dont esclave je suis.
Je suis opiniastre, indiscret, fantastique,
Farouche, soupçonneux, triste et melancolicque,
Content et non content, mal propre [4], et mal courtois :
Au reste craignant Dieu, les princes et les lois,
55 Né d'assez bon esprit, de nature assez bonne,
Qui pour rien ne voudroit avoir faché personne :
Voylà mon naturel, mon Grevin, et je croy
Que tous ceux de mon art ont tels vices que moy.
Pour me recompenser, au moins si Calliope [5]
60 M'avoit faict le meilleur des meilleurs de sa trope,
Et si j'estois en l'art qu'elle enseigne parfait,

De tant de passions je seroy satisfait :
Mais me voyant sans plus icy demy Poëte,
Un mestier moins divin que le mien je souhaitte.
65 Deux sortes il y a de mestier sur le mont
Où les neuf belles Seurs leurs demeurances font :
L'un favorise à ceux qui riment et composent,
Qui les vers par leur nombre arrengent et disposent
Et sont du nom de vers dicts « versificateurs » :
70 Ils ne sont que de vers seulement inventeurs,
Froids, gelez et glacez, qui en naissant n'apportent
Sinon un peu de vie, en laquelle ils avortent :
Ils ne servent de rien qu'à donner des habits
A la cannelle, au succre, au gingembre, et au ris :
75 Ou si, par trait de temps[6], ils forcent la lumiere,
Si est-ce que sans nom ils demeurent derriere,
Et ne sont jamais leus, car Phebus Apollon
Ne les a point touchez de son aspre éguillon.
Ils sont comme apprentis, lesquels n'ont peu atteindre
80 A la perfection d'escrire ny de peindre :
Sans plus ils gastent l'encre, et broyant la couleur
Barbouillent un portrait d'inutile valeur.
L'autre preside à ceux qui ont la fantasie
Esprise ardentement du feu de Poësie,
85 Qui n'abusent du nom, mais à la verité
Sont remplis de frayeur[7] et de divinité.
Quatre ou cinq seulement sont apparus au monde,
De Grecque nation, qui ont à la faconde
Accouplé le mystere, et d'un voile divers
90 Par fables ont caché le vray sens de leurs vers,
A fin que le vulgaire, amy de l'ignorance,
Ne comprist le mestier de leur belle science,
Vulgaire qui se mocque, et qui met à mespris
Les mysteres sacrez, quand il les a compris.
95 Ils furent les premiers qui la Theologie
Et le sçavoir hautain de nostre Astrologie,
Par un art tressubtil de fables ont voilé,
Et des yeux ignorans du peuple reculé.

Dieu les tient agitez, et jamais ne les laisse
100 D'un aguillon ardant il les picque et les presse.
Ils ont les pieds à terre et l'esprit dans les Cieux,
Le peuple les estime enragez, furieux,
Ils errent par les bois, par les monts, par les prées,
Et jouyssent tous seuls des Nymphes et des Fées.
105 Entre ces deux mestiers, un mestier s'est trouvé,
Qui, tenant le milieu, pour bon est approuvé,
Et Dieu l'a concedé aux hommes, pour les faire
Apparoistre en renom par dessus le vulgaire,
Duquel se sont polis mille autres artisans,
110 Lesquels sont estimez entre les mieux disans:
Par un vers heroïque ils ont mis en histoire
Des Princes et des Rois la proesse et la gloire,
Et comme serviteurs de Belone et de Mars [8]
Ont au son de leurs vers animé les soldars.
115 Ils ont sur l'eschaffaut par feinctes presentée
La vie des humains en deux sortes chantée,
Imitant des grands Rois la triste affection
Et des peuples menus la commune action.
La plainte des Seigneurs fut dicte Tragedie,
120 L'action du commun fut dicte Comedie.
L'argument du Comicque est de toutes saisons,
Mais celuy du Tragicque est de peu de maisons:
D'Athenes, Troye, Argos, de Thebes et Mycenes
Sont pris les argumens qui conviennent aux scenes.
125 Rome t'en a donné, que nous voyons icy,
Et crains que les François ne t'en donnent aussi [9].
Jodelle le premier, d'une plainte hardie,
Françoisement chanta la Grecque Tragedie,
Puis, en changeant de ton, chanta devant nos Rois,
130 La jeune Comedie en langage François [10],
Et si bien les sonna, que Sophocle et Menandre,
Tant fussent-ils sçavans, y eussent peu apprandre:
Et toy, Grevin, apres, toy mon Grevin encor,
Qui dores ton menton d'un petit crespe d'or,
135 A qui vingt et deux ans n'ont pas clos les années,

Tu nous as toutesfois les Muses amenées,
Et nous as surmontez, qui sommes jà grisons,
Et qui pensions avoir Phebus en nos maisons.
        Amour premierement te blessa la poictrine
140 Du dart venant des yeux d'une beauté divine,
Qu'en mille beaux papiers tu as chanté[e] à fin
Qu'une si belle ardeur ne prenne jamais fin.
Puis tu voulus sçavoir des herbes la nature,
Tu te feis Medecin, et d'une ardente cure
145 Doublement agité, tu appris les mestiers
D'Apollon, qui t'estime et te suit volontiers,
A fin qu'en nostre France un seul Grevin assemble
La docte Medecine et les vers tout ensemble [11].

APPENDICE III : LA POLÉMIQUE PROTESTANTE (1563)

PALINODIE SECONDE [1]

[....]

Dés long temps les escrits des antiques prophetes
100 En chaires annoncez, par voix d'hommes celestes,
Nous alloient predisant, que Peuples malheureux,
Noz derniers jours seroient plaintifz et douloureux,
Tuez, assassinez mais pour n'estre pas sages,
Nous n'avons jamais creu aux divins tesmoignages,
105 *Obstinez, aveuglez. Ainsi le peuple Hebrieu,*
N'ajoustoit point de foy aux Prophetes de Dieu :
Lequel ayant pitié du François qui forvoye,
Comme pere benin, du haut ciel lui envoye
Ses fidelles pasteurs et messagers, *afin*
110 *Qu'il pleure, et se repente, et s'amende à la fin.*
Le ciel sembloit *pleurer tout le long d'* une *année.*
Et Seine qui couroit d'une vague effrenée,
Et bestail et bergiers *largement ravissoit,*
De son malheur futur Paris advertissoit,
115 *Et sembloit que les eaux en leur rage profonde,*
Voulussent renoyer une autre fois le monde :
Cela nous annonçoit, *que* le Seigneur des *cieux,*
Menaçoit nostre chef d'un mal pernicieux.
O toy hystorien, qui d'ancre non menteuse
120 *Escriras de* ce *temps l'histoire monstrueuse,*
Racompte à noz enfans l'avenement total,

Afin qu'ils se contiennent *en lisant nostre mal,*
Et qu'ils prennent exemple aux pechez de leurs peres,
De peur de ne tumber en pareilles miseres.
125 *De quel œil, de quel front (ô siecles inconstans)*
Pourront ils regarder l'hystoire de ce temps?
En lisant que l'honneur, et le sceptre de France,
Qui depuis si long age avoit pris accroissance,
Par vilain Atheisme, autheur de ces debats,
130 *Comme une grande* tour *est* presque tumbé *bas.*
On dit que Lucifer *faché contre la race*
Des fidelles pasteurs, qui par divine grace
Annonçoient Jesus Christ, et d'un tressaint *savoir*
Decouvroient le thresor *qu'* un Chrestien *doit* avoir
135 *Un jour* tout depiteux, plein de forcenerie,
Descendit aux plus creux des enfers, où s'*amye*
Dame presomption, ayant ces nuits autour,
Estoit en son obscur et horrible sejour.
Elle tost decouvrit qu'il n'estoit à son ayse,
140 Et se mit en devoir pour chasser ce malaise:
Si le vint caresser, et le baisant, soudain
L'atheisme *conceut, peste du genre humain.*
Mespris *en fut nourrice, et fut mis à l'escolle*
D'orgueil, d'hypochrisie, et poësie *folle.*
145 Il estoit si hydeux, et tant farcy *d'erreur,*
Que mesme à ses parens il apportoit *horreur.*
Il *avoit le regard d'une orguilleuse beste,*
D'ignorance et poyson *estoit pleine sa teste,*
Son cueur estoit confit *de vaine affection,*
150 *Et sous* riches *habits cachoit* polution.
Son visage divers (ainsi qu'on peind l'harpye)
D'un blaspheme impudent sa gueule estoit remplie.
De mensonge emplumé avoit le ventre, et *doz,*
Ses jambes et ses pieds n'estoient que des ergotz.
155 En ses griffes portoit hameaux propres à prendre,
Toutes sortes de gens qui le vouldroyent *attendre.*
Il *se vint* droit *loger par estranges moyens,*
Dedans les cabinetz des Theologiens

Noz maistres, et du Pape, *et brouilla leurs courages,*
160 *Par la diversité de cent nouveaux passages.*
Puis apres se glissa dedans les grans palais,
Où la tourbe brouillarde assouvie à jamais
Ne cesse d'attraper offices et chevance :
Voyla ce qu'a permis Dieu par sa providence,
165 *Afin de les punir d'estre trop curieux,*
Et vouloir *escheller comme Geants les cieux.*
Ce monstre que j'ay dit, met la France en campagne,
Mendiant le secours d'Italie, *et d'Espagne,*
Et de la nation ferue du *taborin,*
170 Qui *boit* d'Are les eaux tombantes dans le *Rhin.*
Ce monstre arme le fils contre son propre pere,
Et le frere (ô malheur) arme contre son frere,
La seur contre la seur, et les cousins germains,
Au sang de leurs cousins veulent tremper leurs mains.
175 *L'oncle fuit* le *neveu, le serviteur son maistre,*
La femme ne veust plus son mary recognoistre,
Le juge vend le droit, son ame avec sa *foy,*
Et tout à l'abandon va sans ordre et sans Loy...

RESPONSE AUX CALOMNIES CONTENUES EN LA SUITTE DU DISCOURS SUR LES MISERES DE CE TEMPS [2]

[....]
Si tu as veu de Besze à cheval bien crotté,
Un reitre sur le dos, une espée au costé,
Allant prescher dehors, où mainte ame fidelle
310 Couroit beant apres la pasture immortelle,
Tu conclus qu'il preschoit une Evangile armée,
Un Christ empistollé tout noirci de fumée.
Mais pour certain, Ronsard, tu conclus sottement :
Eusses-tu dans Sorbonne aprins cest argument,
315 Par lequel à bon droit un chacun peult cognoistre,
Qu'un jour te rendit sot, et feit devenir Prebstre.

Cesse donques, Ronsard, à tort et à travers,
De vomir contre luy le venim de tes vers.
Et plus contre ceux-là, ta fureur ne descharge,
320 Qui sont ses compagnons en une mesme charge,
Dont tu ne peus mesdire avec juste raison.
Garde, si tu m'en crois, pour une aultre saison,
Le fiel de ta cholere, et de ta mesdisance
(Qui ne peult aussi bien faire aucune nuisance)
325 Rasseraine les flots : pour neant est battu
Le fort inexpugnable, où loge la Vertu.
La muraille d'airain, qui l'Innocence garde,
N'apprint onc à trembler au son de ta bombarde.
Car, soit que tes broquards, et tes propos menteurs,
330 S'addressent aux brebis, ou bien à leurs pasteurs
On sçait bien qui tu es : tu portes une marque,
Dont le peuple François te cognoit et remarque.
Il n'est celuy, Ronsard, qui n'ait trop bien de quoy
Deviser à plaisir, quand on parle de toy.
335 Par ces mots, je n'enten ta vaine poësie,
Qui du mespris commun devient toute moisie,
Qui ne t'a donné bruit que pour un peu de temps,
Servant aux paillardeaux d'un villain passe-temps.
Jamais nul ne fist cas de tes rimes infames,
340 Fors les cœurs allumez des Cypriennes flammes.
Mais on te recognoit au train desordonné,
Que tu meines, rempli d'un esprit forcené.
Celuy cognoit, Ronsard, ta profane malice,
Qui sçait, comme tu fis d'un Bouc le sacrifice,
345 Lez Paris, dans Arcueil, accompagné de ceux,
Qui, Paiens comme toy, luy offrirent des vœus.
Bref, ceux-là ont de toy cognoissance tresclaire,
Qui ont veu la façon de ton train ordinaire.
Tu as hanté la Court, tu as esté guerrier.
350 Tantost as esté paige, et tantost escholier.
Tu as voulu la guerre, et les lettres ensuivre,
Or' t'aidant d'une espée, or manyant un livre.
Cela n'est que louable, et n'y a mal aucun.

Mais à fin qu'on cogneust que tu estois quelcun
355 Tu as fait des escrits à la mode payenne,
Et suivant pas à pas la coustume ancienne
Des profanes autheurs, as fait mille discours,
Qui tirent la jeunesse aux villaines amours.
Or comme tu ensuis, en tes vers impudiques,
360 L'ordre et l'invention des Poëtes antiques
Tu imites leurs meurs, et devenant pourceau,
T'efforces d'Epicure augmenter le trouppeau.
Pourtant, à la parfin t'es mis de l'ordonnance
De l'Antechrist Romain, qui t'engraisse la pance
365 Et l'emfle tellement, que pour le contenter,
Au deshonneur des bons tu te mets à chanter.
Comm' une cornemuse, estant vuide d'haleine,
Ne chante aucunement, mais bien quand ell' est pleine
Tu as esté muët long temps parci devant:
370 Mais despuis que le Pape a rempli de son vent
Ta Muse et cornemuse, elles n'ont eu relasche,
De sonner, mais chacun de les ouyr se fasche.
Despuis que tu es prestre, il n'est rien qui ne soit
Empiré dedans toy, comme chacun le voit.
375 Tu es devenu sourd, sans espoir de remede
(Bien que d'un aultre endroit, ce mal-heur te procede).
Ton chant, qu'Apollon mesme eust pour sien avoüé,
C'est la vois d'un corbeau, quand il est enroüé.
La Prestrise te gaste, et fait qu'en contre-change,
380 Du myrte verdoyant (signal de ta louange)
Ta dextre tient de sauge un asperges retors,
Dont tu vas arrousant les sepulchres des morts.
Ell' t'a fait avorter de celle Franciade,
Qui devoit obscurcir d'Homere l'Iliade.
385 Ha villaine Prestrise, en vain n'as-tu le bruit,
Que science t'esloigne, ignorance te suit!
Bien l'essaie Ronsard, qui, tout confus de honte,
Voit qu'à cause de toy, nul de luy ne tient compte.
Sa Muse est maintenant veufve de son honneur.
390 Le feu, qui allumoit sa premiere fureur,

Tous les jours s'evapore, ainsi qu'une fournaise,
Que l'humide Element de ses ondes appaise.
   Il est comm' un cheval, qui rebours et retif,
Hargneux et vicieux, est devenu poussif,
395 Plus ne pouvant bondir, ni franchir la carriere,
Comme il souloit jadis en sa vigueur premiere.
   Si tu voulois, Ronsard, bien user du conseil,
Que du Bellay, rompant le cours de ton sommeil,
Te donna quelque fois (ainsi que tu tesmoignes)
400 Un peu plus saigement tu ferois tes besongnes.
Car en lieu que tu n'as de bien vivre aucun soing,
T'arrestant icy bas, sans regarder plus loing
Ta vie seroit bonne, et donrois tesmoignage,
Du droit que tu pretens au celeste heritage.
405 Mais au lieu d'amander tu vas en empirant,
Sans que remede aucun te voise secourant.
Le mal de ton esprit, est comm' une gangreine,
Qui ronge le meilleur de la vigueur humaine,
Tant que du povre cors, qui s'en est veu attaint,
410 La force diminue, et la vie s'esteint.
   Plus tu vas approchant les faus-bourgs de vieillesse,
Plus tu pers de ton los acquis en ta jeunesse.
Ceux qui t'ont des François le Pindare appellé,
T'appellent meintenant un prestre escervellé,
415 Dont la Muse brehaigne, et du tout infertille,
D'un Artus Desiré contrefaisant le stile,
Et mettant en oubli de Pindare les sons,
N'entonne desormais que des sottes chansons,
Par lesquelles le blasme, et diffame il procure,
420 De tout ce qui pourroit le bannir de sa Cure.
   C'est le commun langage, et le propos qu'on tient,
En devisant de toy, quand par fois il advient.
Et ce n'est qu'à bon droit, attendu l'inconstance,
Qu'en tes derniers escrits, tu mets en evidence,
425 Où n'y a nul propos d'ordre s'entre-suivant,
Mais tout y est confus. Comme lors que le vent
Esbranle la perruque aux verdoyans bocages,

On voit tomber par terre, et rameaux, et fueillages,
Et lors les bucherons sont tous esmerveillez,
430 Voyans de la forest les cheveux garsouillez.
Ainsi, nul ne peult voir, d'une troigne maussade
Ta Muse forcener, ainsi qu'une Menade,
Qui n'en soit esbahi : car chacun attendoit,
Qu'apres l'aage bouillant (qui trop gay te rendoit,
435 Et tel qu'un gras taureau, qui bondit et qui rue,
Tant qu'on l'ait subjugué pour trainer la charrue)
En l'arriere-saison, qui fait les cheveux gris,
A saige devenir tu serois mieux apris.
Tu trompes nostre espoir, et vieillesse qui renge
440 Ton corps comm' elle veut, ton courage ne change.
Plus le cygne envieillit, plus doux sont les accords,
Dont il fait resonner de Meandre les bords.
Mais plus tu vis au monde, et plus ta Muse lasse,
Ennuie l'auditeur, d'une vois lente et casse.
445 Tu ferois mieux pour toy, t'en allant à l'escart
Murmurer tes discours, sans mesure et sans art,
Que de les publier, et de toy les distraire,
Pour servir de cornets chez un apotiquaire.
Mais qui ne s'apperçoit du chemin forvoié,
450 Que prend, puis quelque temps, ton esprit desvoié ?
Tantost, à l'Evangile entreprenant debatre,
A l'encontre du vent tu te prens à combatre.
Tantost, blasmant les bons, tu pretens arracher
En soufflant, de son lieu, la hauteur d'un rocher…

NOTES

P. 15 INTRODUCTION

1 La formule est de Gilbert Gadoffre, dans son *Ronsard par lui-même,* Paris, Seuil, 1960, p. 6.

2 Titre du chapitre VI.

3 *Sic :* pluriel de « un », pour « un Homere, un Pindare, un Theocrite, etc. ».

4. *Remonstrance* , v 499-502.

5. Robert Aulotte, *art. cit* (voir Bibliographie), p. 30

6. *Ibid.,* p. 37.

7 *La Poésie des protestants de langue française* (voir Bibliographie), p. 179.

8. Voir plus bas, p. 233, en tête des notes de l'*Epistre au lecteur* de 1564.

9 Voir *Discours* ., p 78, v. 179 sq.; *Continuation* ., p. 82, v. 44 sq. et p. 91, v. 379 sq ; *Remonstrance*..., p. 113, v. 679 sq.

10. Voir ci-dessus, note 4 et citation correspondante.

11 Marcel Raymond renvoie ici à *Ronsard et son temps* (voir Bibliographie), p 154 sq

12. *L'Influence de Ronsard,* t I, p. 361-362.

13. Du Bellay est mort le 1er janvier 1560.

14 Par exemple, les deux poèmes que nous publions p. 53 et p. 61 : « elegies » en 1560, devenues « discours » en 1578.

15. Dans « Quelques aspects de la poésie de Ronsard », in *Baroque et renaissance poétique,* Paris, Corti, réimpr. 1964, p. 86.

16. *Op. cit.,* p. 179.

17 Voir p. 124, v. 71 sq.

18. On pourra rapprocher de ce texte certains passages des *Discours,* par exemple dans la *Responce* .., p. 145, v. 847 sq ; ou dans l'*Elegie à J. Grevin* citée dans l'Appendice II, p. 205, v. 13 sq.

19 Voir sur ces questions le livre fondamental de Grahame Castor,

Pléiade Poetics. A Study in Sixteenth Century Thought and Terminology, Cambridge University Press, 1964.

20. Nous nous permettons de renvoyer à notre livre, *La Pléiade,* Paris, P U F., coll. « Que sais-je ? », 1978, chap. I.

21. P. 136, v. 513 sq.

22. *Dialogue des Muses et de Ronsard,* dans la *Nouvelle Continuation des Amours.*

DISCOURS

I

P. 53 ELEGIE SUR LES TROUBLES D'AMBOISE (1560)

Cette élégie fut composée en 1560 et parut pour la première fois dans le tome consacré aux *Poèmes* des *Œuvres* de 1560. Elle fut réimprimée à part en 1562, puis en 1563 et en 1564, avec quelques remaniements destinés à l'actualiser dans la polémique. A partir de 1567, elle figurera dans les éditions successives des *Œuvres,* insérée dans la série des *Discours.*

Guillaume des Autels, le destinataire de ce poème, était bourguignon (charolais). De formation juridique, il était lui-même poète et appartint à la Pléiade.

1. Allusion (comme au v 4) aux premiers événements annonçant les guerres civiles (mars 1560 : conjuration d'Amboise).

2. Var. de 1562 : « Par armes l'assaillir, par armes luy respondre ». Tout ce passage fait allusion aux pamphlets protestants que les réformés introduisaient en France et répandaient avec une redoutable efficacité.

3. *Carles :* Lancelot Carles, évêque de Riez, était l'ami de Ronsard. Var. de 1562 : suppression des v. 33-40.

4. Homère, *Iliade,* XXI, début.

5. Promontoire à l'entrée de l'Hellespont, célèbre par les combats sanglants que s'y livrèrent Grecs et Troyens.

6. Luther, Bucere (ou Bucer), Zvingle (Zwingli), Calvin : tous réformateurs importants.

7. Au concile de Trente, réuni depuis 1545 mais interrompu dès 1552. Il ne devait reprendre qu'en 1562

8 Les bénéfices et les charges ecclésiastiques. Allusion au trafic des biens de l'Église.

9. Vêtus d'habits découpés, à « crevés ».

10 Cf. plus haut, v. 51-54

11. *Œcolampade :* autre réformateur.

12 Sur les méfaits de l'opinion, voir plus loin, *Discours des miseres.* , p. 76, v. 127 sq. et *Remonstrance...*, p. 102, v 249 sq.

13. *Un poil de bouc :* allusion à la peau de chèvre dont sa mère couvrit Jacob afin de lui faire accorder le droit d'aînesse par Isaac (Genèse, XXVII). Jacob et Esaü figurent les frères ennemis que sont catholiques et réformés.

14 Lors des guerres d'Italie (terminées en 1559).

15. Jérusalem (Hierosolim).

16. Mameluks Tout le passage fait allusion aux croisades.

17. Allusion probable au cardinal de Châtillon qui avait réglé une affaire pendante (en « sejour ») au profit de Des Autels.

18. *De sa part :* de son côté, de son parti (en confirmant ses prédictions)

19. Henri II, blessé dans un tournoi Les vers qui suivent font allusion aux difficultés annonciatrices des guerres de religion dès le début du règne de François II, qui règne encore lorsque Ronsard publie pour la première fois cette élégie.

20. Marie Stuart et Catherine de Médicis.

21. Allusion aux progrès de la Réforme : Luther est né en Saxe.

22. Les Guise, oncles de la reine Marie Stuart, et chefs du parti catholique. V. 217 : François est le prestigieux chef de guerre ; v. 219 : Charles, cardinal de Lorraine, est le prélat.

23. Qu'ils ne soient plus en butte à la malveillance. (Ils étaient en fait fort haïs.)

II

P 61 ELEGIE À LOÏS DES MASURES (1560)

Publiée pour la première fois sous le titre que nous lui laissons parmi les *Poëmes* au tome III de l'édition collective des *Œuvres* de 1560, cette pièce ne fut rééditée qu'en 1567 dans les *Discours,* sous le seul titre cette fois d'*Elegie,* sans dédicataire. Elle figurera ensuite dans les éditions successives des *Œuvres,* intitulée à partir de 1578 *Discours à Loys des Masures*

Originaire de Tournai, Loys (ou Loïs) des Masures (1515?-1574) était un poète passé à la Réforme en 1558. Il fut le traducteur de l'*Énéide,* publia des *Œuvres poëtiques* françaises et latines (1557) et des *Tragedies saintes* (1565) Malgré sa conversion, il semble que des Masures soit toujours resté en bons termes avec Ronsard, restant à l'écart de la polémique des années 1562-1563

1. Il s'agit ici du volume des *Poëmes* publié dans l'édition collective des *Œuvres* de 1560.

2. *Le cuider sçavoir :* infinitif substantivé, signifiant « la prétention injustifiée de détenir la vérité ».

3 Si Ronsard ne désigne pas ainsi les Princes lorrains (les Guise), comme le pense Laumonier, il est néanmoins peu probable qu'il ignore le développement de la communauté calviniste de Metz, par exemple. Comme Jean Baillou, on considérera donc plutôt que « Ronsard fait honneur à toute la province de l'orthodoxie de ses princes » Au vers 50, *la terre à la vostre voisine* désigne l'Allemagne, berceau du luthéranisme et de la Réforme. Il faut noter en outre que le destinataire du poème était lui-même passé à la Réforme depuis deux ans au moment de la première publication de cette élégie.

4. Statue du poète (mythique) Amphion possédée par des Masures dans son jardin.

5. Mort le 1er janvier 1560. Du Bellay et des Masures avaient échangé des éloges dans diverses pièces poétiques.

6. *Pithon :* déesse de la persuasion. Au vers précédent, *la mielliere mouche* est l'abeille, dont la légende voulait qu'elle butine sur les lèvres des grands poètes.

7. Les *neuf doctes pucelles* sont les Muses.

8 *Le Caballin coupeau :* le sommet du Parnasse, où le cheval ailé Pégase avait, d'un coup de sabot, dans la fable antique, fait jaillir la source Hippocrène.

9. *Du tien :* de ce que tu possèdes, de ton bien

10. Cette méditation sur la brièveté des jours de l'homme, quoique attribuée ici à du Bellay, représente un des thèmes constants de la poésie ronsardienne.

11. Henri II, mort accidentellement à la suite d'une blessure reçue dans un tournoi en juillet 1559.

12. Du Bellay était lui aussi mort de mort subite.

III

P. 67 INSTITUTION POUR L'ADOLESCENCE DU ROY CHARLES IX (1562)

Charles IX, alors âgé de onze ans, fut sacré roi le 15 mai 1561. Sur ce poème, voir l'article de Robert Aulotte, « Ronsard et l'*Institution*... » in *Mélanges Silver,* 1974, p. 29 sq.

L'*Institution* parut d'abord en plaquette en 1562, puis en 1563 et en 1564, avant d'être insérée dans les *Discours* à partir de 1567.

1. Thème, cher à Ronsard, de la prééminence des arts sur toutes les autres activités humaines.

2. En l'art de lire les visages, de savoir juger les hommes au premier coup d'œil.

3 Troïlus, le plus jeune fils de Priam, tué par Achille. Troie est située en Phrygie (le *champ Phrygien* du v 43)

4. Sarpédon fut tué par Patrocle. Penthésilée était la reine des Amazones.

5. La tradition hermétique du symbolisme du nombre 9 est fort ancienne. Les vers 53-54 font allusion à Apollon, chef du chœur des neuf Muses.

6. Catherine de Médicis, la régente.

7 Allusion à la propagande protestante.

8. Voir plus loin, sur le combat d'Opinion contre Raison, *Remonstrance* .., p. 101, v. 239-248

9. C'est le précepte inscrit au fronton du temple d'Apollon à Delphes.

10. L'argile dont Dieu pétrit Adam

11. Cf. *Elegie à des Autels,* p. 55, v. 85-86 Cette protestation, répétée par Ronsard dans plusieurs poèmes, est d'autant plus étrange que lui-même sollicita, comme tous les poètes de son siècle ou à peu près, et qu'il obtint l'octroi de tels bénéfices ecclésiastiques

12. Aux premiers venus.

13 *Trop hault à la main :* trop hautain.

14. *Le vostre propre* . votre bien, ce qui vous appartient en propre.

15 François Ier, mort en 1547.

IV

P. 73 DISCOURS DES MISERES DE CE TEMPS (1562)

Le 1er mars 1562, a lieu le massacre de Wassy, en Champagne. Ce coup de force de François de Guise déclenche la première guerre de religion. On voit alors Ronsard prendre parti contre les réformés : Laumonier suggère que ce poème a pu être écrit pour faire pression sur la reine mère, encline à la tolérance à l'égard des protestants.

Le *Discours* parut en plaquette en 1562; il fut réédité en 1563 A partir de 1567, il sera incorporé au tome des *Discours* dans les éditions successives des *Œuvres*.

1. *Ne preigne :* ne prenne. Tout ce passage (v. 1-20) suscita une réplique du pamphlétaire protestant Zamariel :

> Tu disputes du mal et disputes du bien,
> Suivant en tout l'erreur du profane Ancien [*Aristote ?*]
> Qui cerchoit l'origine et premiere naissance
> De bonté et vertu en l'humaine puissance,
> Comme par son instinct chascun seroit porté
> Ou à suyvre malice, ou à suyvre bonté :

Que tout nous provenoit du sein de la Nature,
Que tout alloit roulant au gré de l'avanture,
Et ce que bien souvent en la Religion
On a veu advenir quelque mutation,
Est d'autant que des Rois l'affection diverse
Establit ceste cy, et ceste là renverse.

(Publié par J. PINEAUX,
La Polémique protestante contre Ronsard, t I, p 36.)

2 Cf *Institution* ., p. 69, v. 67-70. Luther, Allemand, et Calvin, établi à Genève, sont dénoncés comme propagateurs d'une foi étrangère.

3. *L'astre jumeau* la constellation des Gémeaux, Castor et Pollux, qui passait pour favorable aux matelots. C'est la continuation de la métaphore du navire en péril.

4. *Conduisez-le :* avec élision du *e* final.

5. Cf. les *Antiquitez de Rome,* de Du Bellay (1558). Et plus haut, *Elegie sur les troubles d'Amboise,* p 57, v. 143-146.

6. Cf. *Elegie* .., p. 58, v 171-174. Voir aussi sur cette valeur prophétique des signes célestes et météorologiques, l'ouvrage de Loys Le Roy, dit Regius, *De la Vicissitude ou varieté des choses en l'univers* ., Paris, 1575; on y lit, dans le sommaire du Livre premier: « La vicissitude et varieté observée és mouvemens du ciel et des spheres celestes dont dependent les changemens advenans en ce monde inferieur, sont declarees au premier livre . »

7. Comme au déluge.

8. De peur de tomber...

9 Sur cette allégorie, voir Y Bellenger, « L'allégorie dans les poèmes de style élevé de Ronsard », in *C.A.I.E.F.*, nº 28, 1976, p. 73-77.

10. Image traditionnelle de la démesure, fréquente dans la poésie de la Pléiade.

11. Cette périphrase désigne l'Allemagne.

12. Cf. plus loin, *Remonstrance* ., p. 110, v. 570-571. Mise en cause de la doctrine réformée du libre examen.

13. Allusion aux pillages de lieux de culte catholiques par les Protestants au début des guerres.

14 Cf., dans une perspective opposée, une évocation comparable chez d'Aubigné, *Tragiques,* I, v 563-592.

15. Résiste, fait le rétif.

V

P. 81 CONTINUATION DU DISCOURS DES MISERES DE CE TEMPS (1562)

Cette *Continuation* suit le *Discours* précédent de quelques mois. Elle date probablement de l'automne 1562, et parut d'abord en plaquette, en 1562, puis à nouveau en 1563, avant d'être, à partir de 1567, insérée dans le tome consacré aux *Discours* dans les éditions collectives des *Œuvres*.

1 Cf. plus haut, *Discours*..., p. 76, v. 115 sq.

2. C'est la guerre civile assimilée au parricide.

3. Cf *Discours*..., p 78, v. 179-180.

4. Les Albigeois sont les Cathares, vaincus par les efforts conjugués de l'Église et de Simon de Montfort au XIIe siècle. Les Ariens niaient la divinité du Christ dans les premiers siècles de la chrétienté. Les jugements de Ronsard sur ces sectes sont sommaires et pèchent par inexactitude.

5. *Apocalypse,* IX, 3.

6. Théodore de Bèze (1519-1605), théologien et poète réformé, né à Vézelay, était le principal disciple de Calvin et lui succéda à la tête de l'Église de Genève à partir de 1564.

7. Allusion à la légende de Cadmus, vainqueur d'un dragon dont les dents se transformèrent en guerriers, lesquels s'entretuèrent aussitôt.

8. Allusions à l'*Iliade :* Ronsard rappelle du même coup que Bèze était professeur de grec à Lausanne.

9. Candida était l'héroïne des *Poemata,* vers catulliens de Bèze publiés en 1548.

10. Les *cygnes Paphians :* c'est l'attelage de Vénus.

11. *Estre veu :* paraître (latinisme).

12. *Un tel Prince*. Louis de Bourbon-Condé, du parti protestant (frère d'Antoine de Bourbon).

13. Bèze prêchait l'hiver 1561-1562 au faubourg Saint-Marcel, à Paris, près de l'église Saint-Médard, et au temple de la porte Saint-Jacques.

14. *Poudre d'Oribus :* autant dire poudre de perlimpimpin.

15. *Peroceli :* sans doute Perussel, moine cordelier converti à la Réforme, aventurier passablement suspect tant aux yeux des catholiques que des réformés.

16. La rhubarbe et l'ellébore (récoltée en Anticyre) passaient pour guérir de la folie.

17. *Juges,* VI-VIII. — *Preigne sa querelle :* épouse sa cause.

18. Critique de la doctrine protestante de la prédestination.

19. Nom des sauvages du Brésil.

20. *Muncerienne :* de Münzer, chef anabaptiste combattu par Luther, décapité en 1525.

21. Voir plus haut, v 63-64. Il est tout à fait inexact de prétendre que l'hérésie arienne favorisa l'invasion turque de l'Asie mineure. Quant aux vers qui suivent (278-280), ils traduisent une vieille hantise européenne, encore vive au XVIe siècle.

22. Cf. Homère, *Odyssée,* IX, 82 sq : les compagnons d'Ulysse, séduits par la saveur du fruit du lotos, ne voulaient plus rentrer à Ithaque.

23. Le *moly* combattait les effets des enchantements de Circé.

24. Louis de Bourbon-Condé : voir ci-dessus, note 12.

25. Le cardinal Odet de Châtillon, frère de l'amiral de Coligny, passa à la Réforme en 1560. Voir plus haut, *Elegie sur les troubles d'Amboise,* p. 57, v. 167.

26. L'Angleterre était alors l'alliée des protestants français.

27. Genève, devenue ville libre.

28. Les conseillers des Parlements (les *palais* du v. 376).

29. L'or de Toulouse désignait proverbialement un bien mal acquis et qui porte malheur à son détenteur.

30. Les *Fureurs Stygialles :* les Furies d'Enfer.

31. *Busire :* roi d'4Egypte célèbre par sa cruauté. La périphrase des v. 391-392 désigne Sisyphe, autre héros célèbre par sa cruauté.

32. Cf. *Exode,* V sq.

33. Antoine de Bourbon, l'époux de la calviniste reine de Navarre Jeanne d'Albret, s'était rangé du côté catholique depuis janvier 1562. Blessé mortellement au siège de Rouen en octobre de la même année (donc après la composition de ce poème), il devait mourir en novembre.

34. Cf. plus haut, v. 6.

VI

P. 95 REMONSTRANCE AU PEUPLE DE FRANCE (1563)

La *Remonstrance* parut en 1563, sous la forme d'une plaquette anonyme. Elle avait été composée pendant l'investissement de Paris par l'armée protestante sous le commandement de Louis de Condé (voir plus haut, p. 223, note 12 de la *Continuation...,* et plus bas, *Responce...,* p. 151, v. 1075 à 1084), entre la fin de novembre et le début de décembre de l'année 1562. Rééditée en plaquette en 1564, la *Remonstrance* fut ensuite insérée, à partir de 1567, dans le volume composant les *Discours* des éditions successives des *Œuvres.*

Sur ce poème, voir H. Busson, *Le Rationalisme dans la littérature française de la Renaissance,* réimpr., Paris, Vrin, 1957, p. 523 sq.

1. Sans considération de personne.

2. Cf., dans l'*Hymne de la Mort* (1555) :

> ... Homère nous egale
> A la fueille d'hyver, qui des arbres devalle,
> Tant nous sommes chétifz et pauvres journailliers,
> Recevans, sans repos, maux sur maux à-milliers.
> (v. 147-150)

3. Luther avait supprimé cinq des sept sacrements. Calvin alla plus loin et n'en maintint qu'un, le baptême.

4. Cf. *Continuation* .., p. 85, v. 160-161 ; et page suivante, v. 90.

5. *Manichée :* Manichéen, disciple de Manès (IIIe s. ap. J.-C.), hérétique. Sur les *Ariens,* voir plus haut, *Continuation,* p. 88, v 275 et note.

6. Les douze signes du Zodiaque.

7. Cet « hymne au soleil » (v. 64-78) a été cité par Montaigne dans l'*Apologie de Raymond Sebond* (*Essais,* II, XII).

8. Luther, moine Augustin. Var. de 1584 : « Je ne sçay quel yvrongne ». Au vers suivant, le *Picard usurier* est Calvin, originaire de Noyon. Les v. 103-106 seront supprimés à partir de 1584. L'expression *un teneur de racquette* a été expliquée par Louis Terreaux dans les *Mélanges Silver,* 1974, p. 101, n. 5, comme signifiant « trompeur, rusé ».

9. Les vers qui suivent font allusion à la querelle de la transsubstantiation, les Calvinistes refusant de croire à la présence réelle du corps du Christ dans l'hostie, et ne considérant la communion que comme une commémoration.

10. Les corps glorieux sont ceux des bienheureux après la résurrection.

11. C'est le point de vue, dit « fidéiste », qui sera, quoique de façon différente, celui de Montaigne et de Pascal (« Le cœur a ses raisons... »).

12. De la femme de Loth changée en statue de sel.

13. Comme les Apôtres à la Pentecôte (*Actes,* II, 3).

14. Cf. Montaigne, *loc. cit. :* « Fiez-vous à vostre philosophie : vantez-vous d'avoir trouvé la febve au gasteau, à veoir ce tintamarre de tant de cervelles philosophiques ! »

15. Cf Du Bellay, *Regrets,* sonnet 136.

16. Point fondamental dans la différence qui oppose les catholiques aux calvinistes.

17. A cause de l'origine étrangère de la Réforme (Luther en Allemagne, Calvin à Genève).

18 Tous deux hellénistes fameux.

19. Sur l'Opinion, cf. plus haut, *Discours...,* p. 76, v. 127 sq.

20. Wycliff, réformateur anglais du XIVe siècle ; Jean Huss, réformateur tchèque du XVe.

21. Cf. *Elegie sur les troubles d'Amboise,* p. 55, v. 92 et la note.

22 *Saxonne :* Saxe

23 Cf. *Discours* .., p 77, v. 159 sq.

24. Cf. *ibid.,* v. 154 et la note

25. Cf. *Institution...,* p. 70, v. 126 et ci-après, v. 411 (p. 106).

26. « De là vint à Toulouse, où apprit fort bien à danser, et à jouer de l'espée à deux mains, comme est l'usance des escholiers de ladite Université », Rabelais, *Pantagruel,* V.

27. Le Concile de Trente.

28. Allusion à la sympathie déclarée de plusieurs conseillers de Parlement pour les Huguenots (cf affaire du Bourg en 1559)

29. Ronsard s'adresse maintenant aux Français demeurés catholiques.

30. *Paschal :* historien, ami de Ronsard. Son *œuvre divin,* en fait, ne fut jamais publié. Var. de 1584 : les v. 533-544 sont supprimés.

31. Cet épisode de la vie de Ronsard, qui aurait pris les armes contre les protestants, demeure controversé.

32. Comme aux échecs le joueur vaincu.

33. Cf. ci-dessus, *Continuation..* , p. 89, v 284 et note.

34. On lui rendra la monnaie de sa pièce.

35. L'amiral, explorateur du Brésil, qui ayant renié la doctrine de Calvin, fut jusqu'à la fin de sa vie en butte aux attaques de ses anciens coreligionnaires.

36. Il s'agit de Louis de Bourbon-Condé, chef de l'armée protestante, et frère d'Antoine de Bourbon. C'est à sa parenté avec Saint Louis, dont il était le descendant direct, que Ronsard fait allusion dans les vers suivants.

37. Allusion à Calvin, banni de Noyon, sa ville natale.

38. *Les balles plaines :* les ballons gonflés à plein.

39. Il s'agit du cardinal de Châtillon : voir plus haut, *Continuation...,* p. 89, v. 307-314 et la note.

40 Ce vandalisme des huguenots était un des principaux reproches que leur adressait Ronsard

41. Antoine de Bourbon était seigneur de Vendôme, et à ce titre suzerain des Ronsard pour leur manoir de la Possonnière.

42. Sapin, conseiller du Parlement de Paris, fut capturé et mis à mort par les protestants alors qu'il se rendait en Espagne pour le compte du roi.

43. C'est ce Charles, le cardinal de Bourbon, que les Ligueurs tentèrent de porter sur le trône à la place d'Henri de Navarre après la mort d'Henri III.

44. Du peuple pillé, dévasté

45. Les Albigeois furent exterminés au XIIe siècle. Les Vaudois furent massacrés à la fin du règne de François 1er

46. *Bellonne, Mars :* divinités guerrières.

47 Le Phlegeton est un fleuve des Enfers, dont le nom signifie « fleuve de feu ».

48 Suite d'allusions bibliques *(Exode)*

49. Laumonier croit que Ronsard s'en prend ici au prince de Condé. La tradition y voyait plutôt une attaque dirigée contre Coligny. J. Baillou pour sa part, considère que Ronsard « reste dans le vague et s'en remet à Dieu du soin de distinguer et de châtier les coupables ».

VII

P 119 RESPONCE AUX INJURES ET CALOMNIES DE JE NE SÇAY QUELS PREDICANS ET MINISTRES DE GENEVE (1563)

Ce long poème, à la différence des précédents, n'évoque pas la situation générale du pays ou « de ce temps », mais constitue, comme le titre l'indique, une riposte contre une attaque personnelle. Irrités par les prises de position de Ronsard dans le conflit religieux, les pamphlétaires protestants avaient entrepris de miner son influence par une série de libelles Pour justifier le ton et le contenu de sa réponse, superbe même si elle est parfois tendancieuse, Ronsard la fit précéder d'une *Epistre au Lecteur* qu'on trouvera ci-dessous

L'ensemble parut en plaquette, probablement en avril 1563, et fut réimprimé à Lyon la même année, puis l'année suivante à Paris, avant d'être inséré, comme les poèmes précédents, dans l'édition des *Œuvres* de 1567, au volume des *Discours*.

I

EPISTRE AU LECTEUR

1. François de Guise, assassiné par Poltrot de Méré en février 1563.

2. Ces « trois petits livres », publiés ensemble en février 1563 sous le titre *Response aux calomnies contenues au Discours et Suyte du Discours sur les Miseres de ce temps, Faits par Messire Pierre Ronsard, jadis Poëte, et maintenant Prebstre. La premiere par A. Zamariel : Les deux aultres par B de Mont-Dieu. Où est aussi contenue la Metamorphose dudict Ronsard en Prebstre*, ont été publiés par J. Pineaux dans sa *Polémique protestante contre Ronsard* à la S. T. F. M., t. I, p. 33-96 On en trouvera plus bas un extrait en Appendice (p. 212).

3. Il s'agit du prince de Condé, chef du parti huguenot, avec qui, après la signature de la paix d'Amboise, Ronsard va tenter de se réconcilier.

4. Je ne suis rien de moins que toi, en rien ton inférieur
5. Cf plus loin, p. 122, v. 25 sq
6. Communions.
7. Antoine de La Roche-Chandieu, l'un des pamphlétaires auteurs des « trois petits livres », signait Zamariel (en hébreu : « chant de Dieu »). Il avait fait précéder son pamphlet d'un quatrain injurieux pour Ronsard, que celui-ci parodie ici. Voici les quatre vers de Zamariel :

Des divers effects de trois choses qui sont en Ronsard

Ta Poësie, Ronsard, ta verolle, et ta Messe,
Par raige, surdité, et par des Benefices,
Font (rymant, paillardant, et faisant sacrifices)
Ton cœur fol, ton corps vain, et ta Muse Prebstresse.

II

RESPONCE AUX INJURES ET CALOMNIES DE JE NE SÇAY QUELS PREDICANS ET MINISTRES DE GENEVE

1. A cause de la mort de François de Guise (voir ci-dessus, p 227, n. l) Dans l'édition de 1578, les v 1 et 2 seront remplacés par les six vers suivants :

Quoi ? tu jappes, mastin, afin de m'effroyer,
Qui n'osois ny gronder, ny mordre, n'abboyer,
Sans parolle, sans voix, sans poumons, sans haleine,
Quand ce grand Duč vivoit, ce laurier de Lorraine,
Qu'en violant le droict et divin et humain,
Tu as assassiné d'une traistreuse main

2. Allusion à la fable du combat d'Hercule (Alcide) contre le fleuve Àcheloüs métamorphosé en taureau. A partir de 1578, Ronsard ajoute après le v 8 les vers suivants :

Ainsi contre les rocs les fleuves inconstans,
Ainsi contre le ciel se prindrent les Titans,
Ainsi le chesne sec se prend contre la scie,
Ainsi à mon bon sens se happe ta folie

En 1584, la variante est ainsi modifiée :

Ainsi contre ce Grec Antée osa luitter,
Ainsi contre Apollon Marsye osa fleuter,
Qui pour punition de se prendre à son maistre
De ses reins escorchez fist une source naistre

3. Cf. plus haut, p. 121, l. 60-61.
4. La chevelure des Furies était hérissée de serpents; allusion aux *Euménides* d'Eschyle.

5 Cf. Appendice, p. 212.

6. Ici commence la réfutation des «calomnies». Ronsard en effet n'était pas prêtre, mais clerc tonsuré. C'est-à-dire qu'il avait reçu les ordres mineurs, ce qui le vouait au célibat, en le rendant apte à recevoir des bénéfices ecclésiastiques. Il portait la petite tonsure, par opposition aux prêtres, aux évêques, etc, qui portaient la grande tonsure.

7. *Eumolpe, Orphée :* poètes mythiques

8 Les doigts ornés de l'anneau pastoral.

9 *Messire* était une appellation réservée aux prêtres.

10. *Ixion, Tantalle :* grands criminels de la mythologie, punis aux Enfers d'un châtiment exemplaire. Le voleur poussant son rocher est Sisyphe : on peut sûrement voir dans cette image une allusion au vrai nom de Zamariel, La Roche-Chandieu.

11. *Mes Daimons :* allusion possible à l'hymne *Les Daimons* composé par Ronsard, ou aussi à son inspiration poétique, volontiers qualifiée au XVIe siècle de démoniaque, c'est-à-dire inspirée, surnaturelle. La scène d'exorcisme qui suit, pour être imaginaire et caricaturale, n'en correspond pas moins à une réalité, alors courante.

12. Cerbère fut enchaîné par Hercule.

13. L'ellébore passait pour guérir la folie.

14. Thony et Le Greffier étaient des fous de cour. (Voir plus loin, p. 232, n. 71.) Astolphe, dans le *Roland furieux,* rend la raison à Roland.

15. Cf. *Iliade,* XXIV, 527 sq.

16. Thamyris et Tirésias, poètes légendaires, aveugles comme Homère, et comme Stésichore (puni pour avoir mal parlé d'Hélène).

17. *Cypris :* Vénus.

18. Ces derniers vers sont évidemment ironiques : clerc tonsuré, Ronsard ne pouvait pas se marier. — L'édition de 1578 remplace les v. 271-280 par ceux-ci :

> Tousjours le voleur pense à la despouille prise,
> Et tousjours le paillard parle de paillardise.
> Ne te ry plus de moy, et te tais, vieil luton.
> [1584 Tay-toy, de l'Evangile impudent avorton]
> J'entends encor assez pour ouyr ton dicton,
> Quand dedans un tombeau tout emplastré d'ordure
> Les cendres de ton corps seront la sepulture.
> [1584 Nostre place Maubert sera ta sepulture.]

Cette dernière allusion, dans la var. de 1584, à la place Maubert, à Paris, suggère l'image d'un bûcher allumé : celui sur lequel, à cet endroit, on brûlait alors les hérétiques.

19. Reproche majeur et constant adressé aux huguenots (non sans

mauvaise foi, car les catholiques en faisaient autant) : faire appel à l'étranger. (Voir plus bas, n. 41.)

20. Qui a pressé jusqu'à l'os l'ensemble des Français (allusion à la paix d'Amboise, jugée avantageuse à l'excès pour les réformés).

21. L'Autan, vent du sud L'Aquilon, vent du nord.

22 La Paix d'Amboise, conclue en mars 1563, terminait la première guerre de religion.

23. L'arche de Noé.

24. Cf. plus haut, *Remonstrance*..., p. 105, v. 375 sq.

25. Il s'agit du banquet offert à Arcueil en 1552 au poète Jodelle pour célébrer le succès de sa tragédie *Cléopâtre :* on y avait un peu paganisé en paroles, comme l'usage du temps y incitait, on y avait même amené un bouc pour l'offrir au jeune triomphateur de la journée (à la manière antique, pensait-on — à tort d'ailleurs), mais sans aller jusqu'au sacrifice ! Ce n'était qu'un jeu d'écoliers, autorisé en période de carnaval (voir plus bas, v 476 et 488)

26. La Brigade était le nom que se donnaient les compagnons de Ronsard. *Levoit la teste* parce qu'elle obtenait du succès.

27. Héros ancien généralement représenté en armure, Orion est aussi le nom d'une constellation.

28. Dans une épigramme latine de 1548, Bèze avait en effet offert en sacrifice aux Muses une teigne qui dévorait ses livres !

29. La Lune passe pour avoir une influence néfaste sur la raison (cf. le mot *lunatique*).

30. Thème de l'immortalité poétique, cher à la Pléiade.

31. *Comme ravis*. comme s'ils étaient transportés par l'extase.

32. *Et qui* · orthographe phonétique pour « Et qu'il ».

33. *La prime* (v. 547) : jeu de cartes. *Je voltige :* je pratique des exercices d'équitation.

34. Var. : les v. 551-554 sont supprimés en 1578. Ronsard avait été particulièrement malmené par ses adversaires protestants à leur propos. Cf. notamment la *Replique de Lescaldin* (pseudonyme de Montméja ou de Montdieu, d'après J. Pineaux qui publie cette pièce dans sa *Polémique protestante*..., t. II, p. 231 sq.), aux v. 905-912 :

> L'amour, le deviser aux femmes à plaisir,
> L'escrire et mettre en vers maint amoureux desir,
> Les masques, et le bal, et la lascive dance,
> La musique, et le luth, qui vont d'une accordance,
> Tout cela te desment, en ce que t'eslevant
> Tu nous as dementi un peu auparavant.
> Car je ne say que c'est d'une ordure excessive,
> Si telle vie au vray n'est vilaine et lascive

35. Tous ces ornements sont ceux d'un chanoine (Ronsard était chanoine de Saint-Julien du Mans) et non d'un prêtre (cf. plus haut,

p. 124, v 71 sq., et plus bas, v. 570-571). La *haumusse* est « une peau veluë, que les chanoines portent sur l'un des bras, et quelquefois à l'environ de leur dos, et de leur col » (Claude Garnier).

36. Allusion au pillage des églises du Mans par les huguenots en mai 1562.

37. Var. de 1584 : supprime les vers 577-586 et les remplace par le distique suivant :

> Riblant comme larrons, des bons Saints immortels
> Chasses et corporaulx, calices et autels

38. *Prime, Tierce, Sixte* et *Nonne* (comme *matines* plus haut, au v. 588) sont les noms des heures canoniales qui réglaient encore au XVIe siècle la vie religieuse.

39. Charles d'Angennes, évêque du Mans, dont Ronsard fait remonter le nom à Agénor, héros troyen. Voir dans l'Appendice I, p. 203.

40. Astrée, la Justice, régnait parmi les hommes au temps de l'âge d'or. *Le bel espy :* la moisson.

41. Les chefs protestants, au traité de Hampton-Court (septembre 1562), avaient vendu Le Havre aux Anglais. Mais le poète, polémiste, oubliait les mercenaires italiens, espagnols et suisses au service des troupes catholiques.

42. Cf. cette observation de Montaigne, vingt-cinq ans plus tard : « Ceux qui ont essaié de r'aviser les meurs du monde, de mon temps, par nouvelles opinions, reforment les vices de l'apparence ; ceux de l'essence, ils les laissent là, s'ils ne les augmentent : et l'augmentation y est à craindre ; on se sejourne [*on se dispense*] volontiers de tout autre bien faire sur ces reformations externes arbitraires, de moindre coust et de plus grand merite ; et satisfait-on par là à bon marché les autres vices naturels consubstantiels et intestins », *Essais,* III, II (1588).

43. *Une ame Acherontée :* un esprit, une ombre hantant les Enfers sur les rives du fleuve Achéron.

44. Dans l'idylle XXI, où un pêcheur rêve qu'il a pris un poisson en or

45. *Cynthien :* se rapporte à Apollon.

46. Réuni en septembre 1561 par Catherine de Médicis, à l'instigation de Michel de L'Hospital, le colloque de Poissy devait rapprocher les points de vue des protestants et des catholiques. Ce fut un échec.

47. Cf. plus haut, *Continuation...*, p. 85, v. 144 sq De Bèze prêchait près du fossé Saint-Marcel (l'Édit de janvier 1562 autorisant les prêches *extra muros*).

48 C'est-à-dire prédestinés. Calvin proclamait que ses disciples étaient prédestinés par la grâce divine.

49. Allusion à la parabole du pharisien et du publicain (*Luc,* 18 sq.).

50. *Sourcil eslevé :* signe de hauteur, d'orgueil.

51 Cf la description de la Renommée par Virgile, *Énéide*, IV, 177 sq.

52. Série de périphrases dans le goût du temps, désignant les quatre points cardinaux : le sud (v 789-792), le nord (v 793-796), l'est (v. 797-800) et l'ouest (v. 801-804). Les *Phorcydes* sont ici les Néréides, filles de Nérée, dieu marin.

53 Notre-Dame de Cléry, où le tombeau de Louis XI avait été profané par les huguenots : cf plus haut, *Continuation..* , p 91, v. 388.

54 La grange où l'on remisait la récolte

55 Charles le Téméraire, l'ennemi mortel de Louis XI

56. Le *sein de la Deesse* est le froment, que Ronsard appelle (v. 858) le *forment*.

57. Horace.

58. Sans se juger soi-même.

59 Saint Mathurin était un des saints qu'on implorait pour guérir la folie. De même, saint Avertin (cf. v. 914 : *avertineux*)

60. Cf. Appendice, p. 213, v. 335 sq.

61. *La mere des moys :* la Lune. La périphrase des v 945-946 signifie : avant neuf mois.

62. Var. de 1584 : « ... engraisser tes deux mains ».

63. Malgré tes clameurs.

64. Cassandre.

65. D'Italie, en imitant les poésies latine et italienne. Le *rivage Actée* est la Grèce.

66. En fait, Ronsard se conforme à la politique royale à l'égard du prince de Condé. Depuis la paix d'Amboise (mars 1563), on en est à la réconciliation, d'où ces propos apaisants. Plus tard, la politique changeant, on verra (en 1569) Ronsard glorifier, d'accord avec la cour, les meurtriers du prince. Voir plus haut, p. 227, n 3.

67. En décembre 1562, cependant que Ronsard composait la *Remonstrance...*

68. Le Petit Pont existe toujours à Paris (dans le Ve arrondissement) Au XVIe siècle, il s'y tenait un marché.

69. Parce que je ne suis pas le seul à endurer... Le poète, cible de ces attaques, ainsi que la reine mère, le roi de Navarre, etc., se sent en bonne compagnie !

70. Les États généraux d'Orléans, en décembre 1560.

71. *Caillette :* bouffon de Louis XII ; *Thony*, bouffon d'Henri II, de François II et de Charles IX. Quant à Antoine de Bourbon, voir ci-dessus, *Continuation...*, p. 224, n. 33.

72. *A mode d'estrivieres :* à la façon des étriers, qu'on allonge ou qu'on resserre à volonté.

73. Avec Luther, désigné au v. 1172 comme *Apostat*.

III

P 154 AUX BONS ET FIDELLES MEDECINS PREDICANS, SUR LA PRISE DES TROIS PILLULES QU'ILS M'ONT ENVOYÉES

La *Responce.* était suivie dans les éditions en plaquettes (1563 et 1564) de cette épître en prose qui fut supprimée à partir de 1567. Elle se prolongeait par une recette *(Recipe)* en latin, supprimée elle aussi en 1567, et par deux poèmes latins, l'un adressé à Ronsard, l'autre de celui-ci. On trouvera toutes ces pièces latines en Appendice, p. 201-204.

1. C'est par ces mots que les pamphlétaires protestants désignaient les trois libelles qu'ils adressaient à Ronsard, et auxquels celui-ci riposta dans sa *Responce...*

2. *Recipe*. mot latin (« prends ») utilisé couramment pour « recette ».

VIII

P. 155 EPISTRE AU LECTEUR (1564)

Ronsard avait déclaré, à la fin de sa *Responce aux injures...* (ci-dessus, p 153, v. 1158-1159), qu'il se tairait désormais. En outre, un édit de Charles IX, le 10 septembre 1563, avait « defendu les libelles » (voir plus bas, p. 163, lignes 282-283), et le poète avait par surcroît reçu de la Cour l'ordre d'abandonner la polémique. Ronsard n'obéit donc pas, et il profite de la publication de ses *Nouvelles Poësies* en 1564 pour faire paraître, en guise de préface à ce nouveau recueil, une épître, fort longue malgré son titre.

Cette épître, qui « n'est pas seulement », comme écrit Laumonier, « une préface au *Recueil des Nouvelles Poësies* [mais] un plaidoyer qui tourne au pamphlet littéraire », fut d'abord publiée avec le *Recueil* en question en 1564 (deux éditions dans l'année). En 1567, elle fut insérée parmi les *Discours* dans l'édition collective des *Œuvres*. Elle fut supprimée à partir de l'édition de 1578.

1. Allusion aux *Nouvelles Poësies,* qui sont des pièces gracieuses et légères, d'une inspiration bien différente de celle des *Discours*.

2. Amycus avait été vaincu dans son combat contre Pollux. Var. de 1567 : « ce glorieux escrimeur Amiqus ».

3. Cette *Compleinte à la Royne mere du Roy* paraît pour la première fois dans le *Recueil des Nouvelles Poësies,* en même temps que cette épître.

4. Allusion au fait que Ronsard a abandonné sa *Franciade*, laquelle ne paraîtra, incomplète, qu'en 1572

5 « Si le monde se rompt et s'écroule, ses débris le frapperont sans l'effrayer », Horace, *Odes*, III, III, 7-8. Cet « homme constant et resolu » est le sage stoicien

6. Par cet apologue emprunté à Simonide, réputé fort avare, Ronsard avait voulu flétrir l'ingratitude des grands à son égard dans un poème de 1559 : mais l'argument s'était retourné contre lui, et ses adversaires en avaient profité pour railler la ladrerie et la cupidité du poète

7. Voir plus haut, *Responce...*, p. 232, n. 68.

8. Allusion à des titres de pamphlets huguenots dirigés contre Ronsard.

9. Toute l'attaque qui suit est dirigée contre Florent Chrestien, converti depuis peu à la Réforme. Cet ancien admirateur de Ronsard était l'auteur de pamphlets particulièrement âpres contre le poète. Il nia être l'auteur de ce sonnet, qu'il accusa en outre Ronsard d'avoir falsifié De plus, ultérieurement, le poète, réconcilié avec F. Chrestien, supprima l'*Epistre,* mais laissa subsister dans les éditions des *Discours* le sonnet sans nom d'auteur, comme s'il était de lui Laumonier pense à une erreur due à l'imprimeur. Sur cette affaire, voir R. Vergès, « Ronsard et F. Chrestien à propos d'un sonnet anonyme », in *Mélanges Laumonier,* 1935, p 257-267. Sur les diverses imitations, pastiches ou parodies de ce sonnet, voir J. Pineaux, *La Polémique protestante contre Ronsard,* S. T. F. M., t. II, p. 498 sq.

10. Cf. plus haut, ligne 179, « cest esté dernier à Paris ».

11. « Ami inconstant », *Iliade,* V, 831 et 889.

12. Nouvelle allusion critique à la pratique du libre examen. Cf. plus haut, *Remonstrance...*, p. 97, v. 85-92, et p. 99, v. 167-184.

13. Voir plus haut, *Responce...*, p. 127, v. 200, et p. 153, v. 1142, et notes.

14. Nouvelle allusion à F. Chrestien, et au poète Jacques Grevin (1538-1570), médecin de son état, lui aussi passé à la Réforme, et qui avait été très lié avec Ronsard.

15. On notera combien le ton est différent, à l'égard de la génération de Marot, de ce qu'il était dans *La Deffence et illustration...* de Du Bellay (1549) et dans la préface des premières *Odes* de Ronsard (1550).

16 « Grande est ma colère, de ce que tu oses me jeter des regards de défi, toi que j'ai instruit jadis, quand tu étais encore enfant. Voilà bien où mène parfois la bonté. Élevez donc des louveteaux, élevez des chiens pour qu'ils vous dévorent ! », Théocrite, v, 35-38.

17. *La Seconde Responce de F. de La Baronie :* ces 1404 vers ont été publiés par J. Pineaux, *op. cit.*, t II, p. 333 sq.

18. Il s'agit du sonnet liminaire publié en tête de cette *Seconde Responce*.

19. Sonnet des *Amours* de Cassandre (1552)

20. « Ce sont les pâtres qui les premiers nommèrent cette eau la source du cheval », Aratos, *Phénomènes,* 220 sq

21. « Il s'établit près de l'Hélicon dans un bourg maudit, Ascra, méchant l'hiver, dur l'été, jamais agréable », Hésiode, *Les Travaux et les Jours,* 639 sq.

22 « Ce sont elles qui, un jour, enseignèrent à Hésiode un beau chant, comme il faisait paître des agneaux au pied du très divin Hélicon », Hésiode, *Théogonie,* 23 sq.

23 « Je parcours les régions non frayées du domaine des Piérides, que nul avant moi n'a foulées du pied; j'aime aborder aux sources vierges », Lucrèce, I, 926 sq.

24. Passage important en ce qu'il est à peu près le seul où Ronsard s'explique à propos de ce mot de Pléiade dont on sait la fortune. A ce sujet, voir E. Balmas, « Il mito della Pléiade », in *Saggi e Ricerche di letteratura francese,* VI, 1965, p. 11-26, et R. Lebègue, « De la Brigade à la Pléiade », in *Lumières de la Pléiade,* Paris, Vrin, 1966, p. 13-20.

25. Qui préféraient le sexe masculin à l'autre!

26 Boupalos, sculpteur grec qui, poursuivi par la haine d'Hipponax, se pendit.

27. « Le cours du fleuve Assyrien est grand, mais nombre d'impuretés terreuses et quantités d'ordures roulent dans ses eaux », Callimaque, *Hymne à Apollon,* 108 sq.

28. A cette *Epistre,* F. Chrestien répliqua par une *Apologie, ou Deffense d'un homme chrestien pour imposer silence aus sottes reprehensions de M. Pierre Ronsard, soi disant non seulement Poëte, mais aussi maistre des Poëtastres.*

IX

P. 169 PARAPHRASE DE *TE DEUM* (1565)

Ce poème terminait le recueil publié en 1565 sous le titre *Elegies, Masquarades et Bergerie.* A partir de 1567, il est incorporé aux *Discours,* où il demeurera jusqu'en 1584. En 1587, il passera dans le second livre des *Hymnes.*

Il était dédié, en 1565, « au seigneur Boulan, receveur general de cette ville de Paris ». Celui-ci ayant manifesté quelque sympathie pour la Réforme, J. Baillou en conclut que cette dédicace accentue « le caractère de concession au calvinisme que l'on a reconnu à ce poème ».

En 1567, et jusqu'en 1578, il sera dédié à Monsieur de Valence, frère du mémorialiste Monluc, prélat et diplomate distingué. Cette dédicace disparaîtra à partir de l'édition de 1584 et le titre deviendra alors, simplement, *Paraphrase sur le Te Deum laudamus.*

X

P. 173 L'HYDRE DEFFAICT (1569)

Ce poème parut d'abord en 1569, dans un recueil de poèmes latins, grecs et français dus à Daurat, Belleau, Baïf, Jamyn, etc., et célébrant les victoires du duc d'Anjou sous le titre *Pœanes sive Hymni in Triplicem victoriam, felicitate Caroli IX, Galliarum regis invictissimi, et Henrici fratris, Ducis Andegavensis virtute partam.*

Il a été inséré dans les *Discours* à partir de 1578, le titre étant alors complété par les mots : *..à present Roy de France.*

1. Cf. début de la *Continuation...*, p. 81, v. 5-6.

2. On parlait déjà d'un trône pour le duc d'Anjou (dont on ne prévoyait certes pas en 1569 qu'il deviendrait roi de France en succédant à son frère Charles IX).

3. Jupiter, fils de Saturne, fut élevé dans une grotte du mont Dicté en Crète par la chèvre Amalthée. Les bruits d'armes étaient destinés à couvrir les cris de l'enfant, que son père voulait tuer

4. *Borna plus oultre :* recula les frontières de Allusion à l'annexion des Trois Evêchés, Metz, Toul et Verdun.

5. *Où* · alors que.

6 Inversion : quand le mal l'emporte sur la vaillance. Var. de 1578 : « Quand la fureur le devoir a donté ».

7 Pyrrhus, terreur de Troie

8. L'édition de 1569 donnait : « Arrivé à Troie », ce qui faisait un vers faux, corrigé en 1578. C'est cette version corrigée que nous reproduisons.

9 Plusieurs chefs catholiques importants avaient été tués depuis le début des guerres.

10. *Son frère* · Charles IX.

11. La tradition fixe à douze le nombre de ces travaux, mais des aventures accessoires s'y ajoutent. Les vers qui suivent assimilent le calvinisme à l'Hydre de Lerne et le duc d'Anjou à Hercule.

12. *Stigienne*. de Styx, le fleuve des Enfers.

13. Nom d'un chef protestant. D'où le jeu de mots.

14. C'est à Jarnac que fut tué Louis de Condé.

15. Coligny s'était emparé de Lusignan (au sud-ouest de Poitiers) en juillet 1569.

16. Allusion au siège : voir plus bas, p. 238, n. 9 et 11.

17. A Moncontour.

18. Var. de 1578 : « Baigna le camp ». Les catholiques avaient provoqué le débordement du Clain autour de Poitiers pendant le siège. *L'Angevine espée :* l'armée commandée par le duc d'Anjou

19. Var. de 1578 pour les vers 164-167 :

Du Temple sainct, dont les pierres je porte
Que Calliope ourdist de son marteau
Non gueres loin où Loire de son eau
Baigne de Tours ses rives solitaires

Le *Temple sainct* est le prieuré de Saint-Cosme où Ronsard résidait alors.

20 Les deux frères sont le duc d'Anjou et le roi Charles IX.

21. Évocation des Jeux Pythiques, qui avaient lieu à Delphes en l'honneur d'Apollon, également célébré à Délos.

22 Le jeune prince avait été nommé lieutenant général du Royaume.

XI

P. 179 LES ELEMENS ENNEMIS DE L'HYDRE (1578)

Laumonier pense que ce poème, comme le précédent, a été composé en 1569. Quoi qu'il en soit, il n'a été inséré dans les *Discours* qu'à partir de l'édition des *Œuvres* de 1578.

1. Le *Tyrinthien* est Hercule
2. L'image désigne les calvinistes, et les soldats étrangers dont ils s'assuraient les services.
3. La Loire. Comme le latin *Liger,* on en faisait un masculin. Les fleuves étaient symbolisés par un taureau dans la fable antique, d'où la corne du v. 45.
4. Allusion au combat d'Hercule contre le fleuve Acheloüs.
5 Lui qui détruisit les églises et profana les cimetières.
6. Les îles d'Oléron et de Ré, en face de Marennes.

XII

P. 183 PRIÈRE A DIEU POUR LA VICTOIRE (1578)

Composée, d'après Amadis Jamyn, le 1er octobre 1569, l'avant-veille de la bataille de Moncontour (dans l'actuel département de la Vienne), qui fut une victoire catholique, cette pièce ne fut publiée pour la première fois qu'en 1578 : elle figure dans le tome VI des *Œuvres,* consacré aux *Discours*.

1. Les mercenaires allemands formaient une part importante de l'armée protestante.
2. Les catholiques étaient placés sous le commandement du jeune duc d'Anjou (futur Henri III), alors âgé de dix-huit ans.

3. Sans aide étrangère.
4. Le bras du Prince est le défenseur de l'Église.
5. Allusion à la légende de Jason : les dents du dragon avaient donné naissance à une troupe d'hommes armés qui s'entretuèrent aussitôt
6. Avant que le Soleil se couche dans le sein de Téthys (l'Océan) : c'est-à-dire avant le soir
7. Dans *L'Hydre deffaict*, p. 173.
8. « Les fleurs de lys furent données par l'Ange à Clovis, roy de France, au lieu de trois crapaux, où maintenant est l'abbaye de Joyendal, près Saint Barthélemy, non gueres loing de Saint-Germain-en-Laye » (Claude Garnier).
9. Coligny avait été obligé de lever le siège de Poitiers en septembre 1569
10. La *plume* désigne le lit, où paresse le courtisan.
11. Coligny en effet avait été fait prisonnier par les Espagnols à Saint-Quentin (août 1557), il avait été défait à Dreux (décembre 1562), puis à Jarnac (mars 1569). Il avait échoué à Poitiers (septembre 1569) et il allait être vaincu à Moncontour (octobre 1569).
12. Les jeunes princes de Guise, âgés de dix-sept et quatorze ans, qui avaient victorieusement défendu Poitiers contre Coligny.
13. Le mot est de Charles Quint, après son échec devant Metz en 1553
14. Allusion aux conquêtes angevines pendant le Moyen Age.

XIII

P. 189

PROGNOSTIQUES SUR LES MISERES DE NOSTRE TEMPS (1584)

Cette pièce est introduite dans les *Œuvres,* au tome des *Discours,* en 1584. Ronsard s'y inspire certes, de loin, de la description par Virgile des présages qui annoncèrent la mort de César (*Géorgiques,* I, 461 sq.), mais cette obsession des présages est une de ses hantises et une préoccupation constante des hommes de son siècle. Cf. A.-M. Schmidt, *La Poésie scientifique en France au XVI*[e] *siècle :* « Aussi Ronsard, à mesure qu'il prend de l'âge, accorde-t-il une attention toujours plus maniaque aux signes auguraux, quitte, sur la fin de sa vie, à les railler avec mélancolie » (réimpr. Lausanne, éd. Rencontre, 1970, p. 131).

1. Il s'agit de Lefèvre d'Étaples (1450-1536) dont le mysticisme allait jusqu'à parler de l'absorption complète en Jésus-Christ. Lefèvre n'était d'ailleurs pas un réformé, mais un évangéliste.
2. Guillaume Postel (1510-1581), personnage extraordinaire, plus ou

moins illuminé, fort savant, qui avait vécu longtemps en Italie et dont l'ambition n'était rien de moins que de réaliser l'unité religieuse de la terre entière. Postel, lui non plus, n'était pas un catholique orthodoxe, mais pas davantage un réformé.

3. Symbole de l'empire universel.

4. François Hotman (1524-1573), calviniste convaincu, pamphlétaire véhément, dont la vie avait été assez agitée, était l'auteur de la *Franco-Gallia*. Il était d'origine germanique, avait été professeur, et mourut à Bâle.

5. «*Faiseur d'almanachs*... Faiseur de prédictions, de conjectures sur l'avenir... » (Huguet).

6. Voir plus haut, *Discours*.. , p. 76, v. 95 sq. et p. 222, n. 6.

7. Dans une écriture conventionnelle.

P. 193 DERNIERS VERS (1586)

Voici les pièces composant la plaquette posthume parue deux mois après la mort du poète : autre exemple de poésie grave, mais bien différente de celle des *Discours*. Nous publions ces poèmes *in extenso*.

1. Celle des Parques qui enroulait le fil de la vie.

2. Tous deux dieux de la médecine.

3. Un des fleuves d'Enfer. Au vers suivant, il s'agit des Furies. Au vers 3, *Alecton* est l'une des Furies. Au vers 5, *Amphytrite* est la mer.

4. L'hiver.

5. La nuit.

APPENDICES

P. 201 I PIÈCES LATINES

DE 1563

A

Traduction : RECETTE

Prendre une racine de chêne, une de câprier, une de tamarin, une d'oseille en dose d'une demi-once, une racine de fumeterre, une de buglosse, une de bourrache, une de bugle, une de germandrée, une de scolopendre, une de thym en dose d'une demi-poignée, trois drachmes de feuilles purgatives de séné ; faire bouillir et passer la quantité nécessaire ; mélanger une once de la décoction obtenue avec trois drachmes d'électuaire de Hamech *, six drachmes de sirop de fumeterre, en faire une potion et l'administrer au moment des crises. Si le remède ne suffit pas à purger l'humeur mélancolique, on en améliorera l'effet en ajoutant de l'ellébore et de la pierre d'azur, préparée comme ci-dessus.

1. Cette recette faisait partie de la *Responce aux injures et calomnies*… et suivait l'épître en prose adressée *Aux bons et fidelles Medecins*… (voir p. 154). Elle fut supprimée en 1567 et n'appartint donc jamais au recueil des *Discours* à proprement parler. Ce latin burlesque est conforme au latin doctoral des ordonnances du temps

B et C

Traductions : A PIERRE DE RONSARD

Le coassement d'une grenouille du Léman

Tant que tu as bu les eaux de l'inspiration sur le sommet du Pinde, Ronsard, tu as fait jouer avec art les onze cordes de ton luth Tu célébrais la campagne, et ta Muse faisait résonner tes vers avec gravité, de sorte que Phébus les reconnaissait pour siens. Mais depuis que tu ne te soucies que d'arrondir ta panse obèse, d'accord en cela avec les mœurs ignobles de tes amis, tu es devenu l'une de ces ombres illustres, désormais gémissantes et ne parlant que de choses illusoires, essais informes d'œuvres manquées. En plus, tu t'es mêlé de dire la Messe : et depuis ce moment-là, ce n'est plus ta Muse, mais ta Messe, qui chante.

RÉPONSE DE PIERRE DE RONSARD

Ce n'est pas ma Muse qui chante ici, c'est celle du prophète de Patmos [saint Jean, auteur de l'Apocalypse] qui rend cet oracle à l'intention des grenouilles du Léman Ces trois grenouilles immondes, plutôt semblables à des démons affreux, deviendront repoussantes, elles qui, se donnant des allures de vaticinateurs, assourdissent Dieu et les hommes de bonne foi de leur caquet profane. Foi de prophète, toi grenouille, tu es une entre trois ; l'autre est Calvin ; la troisième de Bèze. De Bèze, qui porte le nom de Théodore l'Ancien [dit l'Athée] et dont l'esprit, à propos de Dieu, est bien celui de ce Théodore De ces trois grenouilles, c'est toi la plus enrouée, qui m'assailles de ton verbiage, et par moi la divinité : tu n'as certes jamais bu les ondes sacrées du Pinde, mais les eaux impures et stagnantes du lac de Genève. Ces eaux ne sont pas pures, elles coulent des montagnes, mêlées à de la neige souillée et à de la glace fondue. C'est pourquoi, de ta gorge gelée et enflée, tu

* Nom d'un médecin arabe

coasses tes chants, bien dignes du poète que tu es et dans lesquels, comme il convient au gosier boursouflé d'un monstre, ta voix retentit, exactement semblable à celle d'une grenouille. Car ce que les doctes nomment Muse, ta voix hideuse l'appelle Messe. Seule une grenouille peut corrompre ces mots sacrés : animal disgracieux et maléfique, tu fais entendre des propos qui te ressemblent. Va maintenant, pendant que tu es encore en vie, agite-toi dans les ornières de ton pays, raconte n'importe quoi aux hommes de foi et à Dieu, en attendant que tu sois morte, grenouille noire, et que tu cesses de troubler la paix des croyants, engloutie dans les ondes infernales du Styx ou du Phlegeton. Alors, dans ces eaux brûlantes, disparaîtra la froideur, cause de ton enrouement, qui engourdit ta Muse.

2. Cette épigramme fut d'abord imprimée à la suite du pamphlet calviniste intitulé *Response aux calomnies contenues au Discours sur les miseres de ce temps* (voir plus loin, p. 212) et dû à B. de Mont-Dieu. Elle portait le titre *In P. Ronsardum, olim poetam, non sacrificum* (à P de R , jadis poète, non sacrificateur). Ronsard la fit réimprimer, sous un autre titre, avant sa propre *Responce...* pour mieux y répliquer par cette épigramme que les « grenouilles du Léman » attribuèrent à Daurat (voir sur ce point P. de Nolhac, *Ronsard et l'humanisme*, p. 251 sq.). Ces deux pièces latines, le pamphlet protestant et la réponse de Ronsard, furent maintenues dans l'édition de 1567, et supprimées seulement en 1578

De 1567

D

Traduction : À CHARLES D'ANGENNES
Évêque du Mans

Je regrette que la fortune ne m'ait pas donné, pour le proposer aux hommes qui se sont illustrés par la guerre ou par les arts, de sujet meilleur que l'histoire récente des Français : suite d'affreux combats, malgré la réprobation divine, tant devant les autels que dans les foyers. Si toutefois on a pu prétendre prouver par ce moyen son amour pour la patrie, je dirai que par ta paix, ô France, tu semblas te protéger contre la violence. Mais s'il est vrai qu'on peut courir des dangers pour la gloire de son pays, Ronsard, en célébrant sa patrie sacrée par des vers dociles à la leçon des aïeux, l'a défendue par des armes dignes d'elle. Cette charte qui jadis illustra ton nom t'a été léguée, Charles, par la grande gloire de la maison d'Angennes : toi qui, selon les mêmes destins que le héros de ta race [Agenor devant Troie] osas défendre ta ville abandonnée *. De sorte que le bras intrépide accompagne le discours hardi, et les paroles viennent narrer, après coup, les périls courus au service des choses sacrées.

3. Les *Discours* forment un ensemble à partir de l'édition collective des *Œuvres* de 1567. Ils en constituent le tome VI, qui commence par la préface en distiques latins que Ronsard adresse à Charles d'Angennes, évêque du Mans (voir plus haut, *Responce*.., p. 138, v. 595-596, et p. 231, n. 39). Cette pièce sera maintenue jusqu'en 1578 et ne disparaîtra des *Discours* qu'en 1584.

E

Traduction : Éloge de Ronsard

Comme un vaste rocher refoule les flots qui le heurtent et disperse les ondes qui rugissent de toutes parts autour de lui, en leur opposant sa masse, ainsi, Ronsard, il t'a fallu briser, par ta silencieuse gravité, l'audace indiscrète de ces poétaillons au nom obscur qui pensaient se mesurer à toi, sans que tu réussisses à l'emporter sur eux tous. Mais après, cela fut différent, et de même qu'il arrive au père ou au savant pédagogue de répondre avec douceur à l'enfant qui lui tient des propos futiles, de même tu veux répondre à ce poète insensé, quoiqu'il n'ait rien écrit qui soit seulement digne d'inspirer ta colère ! Cygne au plumage blanc, tu ne dédaigneras pas le cri du sombre chat-huant ? Eh bien, va ! Mais, pour mieux dire les choses, si le lion gigantesque gronde de toute sa mâchoire contre son petit qui criaille, mais sans lui jeter de coup de griffe, de même amuse-toi de ce malheureux rien que par un discours menaçant mais sans brandir ton foudre par un chant qui l'emplirait d'effroi.

Qu'il te suffise, Ronsard, de te rappeler le châtiment de l'orgueilleux Éolide [Salmonée], lequel, pour avoir tenté à Élide, dans un accès de démence, de reproduire l'inimitable tonnerre de Jupiter, fut précipité la tête la première dans un tourbillon effrayant parmi les ombres affreuses de l'Érèbe. De même, Phébus, quiconque défie ton art si précieux, laisse-le périr, et qu'aucun laurier sacré sur son front indocte ne vienne couronner cet ingrat, même s'il lui arrive de remporter la victoire : il ne sait comment éviter les lauriers.

4. Ce poème de vingt-quatre hexamètres, dû à Daurat, suit dans l'édition de 1567 les deux épigrammes *In P. Ronsardum* et *P. Ronsardi responsum*. Il sera retranché des *Discours* en 1578. Montaigne en a cité le début dans l'*Apologie de Raymond Sebond* (*Essais,* II, XII).

* Les églises du Mans avaient été pillées par les huguenots en 1562

P. 205 II. ELEGIE À J. GREVIN (1561)

Cette élégie parut au début de l'été 1561, et avait probablement été rédigée à la fin de 1560. Elle formait la préface au *Théâtre de Jacques Grevin*. Mais peu après, ce fut la rupture entre Ronsard et Grevin, qui était passé à la Réforme. Jamais ce poème n'a été réimprimé du vivant de Ronsard. Ce n'est qu'en 1609 qu'il a été publié à nouveau, sous le titre de *Discours,* parmi les pièces retranchées.

Il nous a semblé qu'il faisait écho, en quelque sorte et par anticipation, au passage de la *Responce*. où Ronsard définit sa conception poétique en comparant le véritable artiste à un feu follet (voir *Responce*..., p 145, v 873 sq. notamment). Ce n'est pas son seul intérêt : il présente en effet un Ronsard mélancolique (v 51 sq.) et saturnien (comme Verlaine..).

1. Digne
2. Ce sont les feux follets (ou *ardens*).
3. La gloire, généralement posthume, est accordée à Ronsard de son vivant.
4. Peu élégant, négligé dans ma tenue.
5. La première des Muses
6. A la longue.
7 La *frayeur* est le frisson, la transe qui saisit celui que les dieux ont choisi. Il s'agit de l'espèce d'extase qu'est l'inspiration poétique, de nature véritablement sacrée (voir plus bas, v. 99-100).
8. Deux divinités de la guerre.
9 A cette date (1561), on en est à la veille de l'éclatement des guerres de religion.
10. Avec sa tragédie *Cleopatre captive* suivie peu après de la comédie *Eugene,* en 1553.
11. Grevin, à la fois médecin et poète, devait être particulièrement cher à Apollon, lui-même dieu des arts et de la poésie mais aussi de la médecine

P. 210 III. LA POLÉMIQUE PROTESTANTE (1563)

A titre d'exemples, nous citons deux extraits de pamphlets protestants dirigés contre Ronsard au début des guerres civiles.

1. Le premier de ces extraits est tiré de la *Palinodie seconde de Pierre de Ronsard, Gentilhomme Vandomoys, sur son Discours des miseres de ce temps* (1563), due à la plume de La Roche-Chandieu Le polémiste suppose Ronsard converti et reprenant le texte de son *Discours* pour le modifier dans un sens favorable à la Réforme. On

comparera ce passage aux vers 95-166 du *Discours des miseres...*, p 76.

2. Le second passage est extrait de la *Response aux calomnies contenues en la Suitte du Discours sur les Miseres de ce temps, fait par Messire Pierre Ronsard, jadis Poëte, et maintenant Prebstre* (1563), due à B. de Mont-Dieu. C'est en préface à ce poème qu'est publiée l'épigramme citée plus haut (p 201) *In P. Ronsardum...*, et c'est pour y répliquer que Ronsard à son tour publiera sa propre *Responce aux injures et calomnies*. .

Ici, c'est à la *Continuation du discours* de Ronsard que s'en prend le pamphlétaire (v 144 sq : voir ci-dessus, p. 85).

GLOSSAIRE

ABBAYER. Médire, décrier.
ABISMER. Engloutir.
ABOIS. Menaces.
ABOYER. Rugir; menacer.
ABUSER. Tromper, en imposer.
ADONQ(UES). Alors.
AFFECTION. Passions. — AFFECTIONNÉ. Passionné et sincère.
AGE. Époque, siècle.
AGGRAVÉ. Alourdi.
AINÇOIS. Mais plutôt.
AINS. Mais. — AINS QUE. Avant que.
ALUMELLE. Lame de l'épée.
APPELER Lancer un défi.
ARDANS. Brûlants.
ARDENS. Feux follets.
ARDENTEMENT. Ardemment.
ART, ARTIFICE. Effort, travail; implique l'intervention humaine. — PAR ARTIFICE. Avec art.
ASPERGÉS. Goupillon.
ASSAUT. 3e pers. du verbe « assaillir ».
ASSEURER (S'). Acquérir une certitude; montrer de l'assurance.
AUTORISER. Gouverner, gérer par l'autorité.
AVAL(L)ER. Descendre, abaisser, tomber.
AVANTURE (D'), AVENTURE (D'). Par hasard.
AVARE. Cupide, attaché aux biens matériels.
AVETTE. Abeille.
AVOÜER. Reconnaître.

BELISTRE. Mendiant, gueux.
BENIN Bienveillant, bénéfique.
BLASONNER. Railler, critiquer.
BORD, BORT. Rivage, pays; limite, frontière.
BOURRIERS. Débris de paille.
BRAGARD. Vantard, fanfaron; orgueilleux. — BRAGARDER. se vanter. — BRAGARDEMENT. Superbement.
BRANLE. Mouvement.
BRAVEUR. Fanfaron.
BROCARD. Pamphlet, libelle, injure.
BRONCHER. Tomber.
BRUSQUE. Inspiré; écrit de verve.

ÇA BAS. Ici-bas.
CAMISADE. Attaque nocturne (les soldats cachant leur armure sous une chemise).
CAPELAN. Chapelain.
CAPRICE (METTRE EN). Affoler.

CARGUE Charge.
CAS (C'EST GRAND). C'est une chose étonnante.
CAUSEUR. Menteur, imposteur
CAUTELLE, CAUTELEUX. Fourberie; hypocrite.
CAVÉ. Creusé.
CERTES Mot adopté comme juron par les ministres réformés D'où l'emploi ironique fréquent qu'en fait Ronsard.
CERVEL (METTRE EN). Inquiéter.
CHAMP. Campagne, région, possession. — CHAMPS. Lieux, pays.
CHANDELLE. Cierge.
CHEF. Tête.
CHEVANCE. Richesse.
CIL. Celui.
COGNEU, COGNOIS, COGNOISTRE. Connu; connais; connaître (parfois: reconnaître).
COMMETTRE. Confier.
COMMUN, COMMUNE. La foule, l'ensemble des gens ordinaires.
COMPAS. Mesure.
CONGÉ. Permission.
CONSEIL. Dessein, entreprise.
CONTE et COMPTE. Les deux orthographes sont constamment confondues.
CONTENT. Satisfait, rassasié.
CONTENTER. Satisfaire, suffire.
CONTREROLLEUR. Enregistreur.
CORSAGE. Corps.
COUPEAU. Sommet.
COURAGE et CUEUR sont employés indifféremment aux deux sens actuels de ces mots.
COY. Calme, paisible, tranquille.
CRESPE. Poil, cheveux.
CRINEUX. Chevelu, échevelé.
CROPPE Croupe
CUIDER, CUYDER. Penser, souvent à tort, abusivement ou par vanité.

DAVANT (QUE). Avant (que).
DECEVOIR. Tromper.
DEGRÉS. Marches.
DELIVRE. Libre, purifié.
DEMIS. Qui s'abaisse, humble
DEPARTIR. Octroyer, répartir.
DESCHIFRER. Décrier, dénigrer.
DESPENDRE. Dépenser.
DESUR, DE SUR Dessus, sur.
DEVISER. Bavarder, causer.
DEULT (de DOULOIR). Fait souffrir.
DEXTRE. (Main) droite.
DIFAME. Honte, déshonneur.
DISCOURS. Raisonnement.
DIVERS. Différent, opposé.
DOUCEREUX. Doux, harmonieux.
DUC. Chef de guerre.
DUEIL. Douleur.

EBAS; (S')ÉBATTRE. Distraction; (se) distraire.
EFFAIT. Effet, réalité; efficacité.
EF(F)ORT. Force, assaut.
EMPESCHER. Gêner, embarrasser; accabler. FAIRE L'EMPESCHÉ. Faire l'important, l'éclairé.
EMPIETER. Prendre dans ses griffes.
ENCOURTINER. Voiler, draper, enfermer.
ENCRESPÉ. Recouvert de poil.
ENGARDER. Empêcher.
ENNUY. Irritation violente.

ENQUERRE Enquérir.
ENTENDRE. Comprendre.
ES. Dans les
ESBAT, ESBATTRE Voir EBAS.
ESCHAFFAUT Estrade, scène.
ESCHELLER Escalader, gravir.
ESMERVEILLER Étonner.
E(S)MEU; E(S)MOUVOIR. Agité, bouleversé; inciter, agiter.
ESPERER Attendre.
ESPOINÇONNER. Aiguillonner
ESPREINT. Répandu
ESPRISE. Allumée
ESPROUVELLE. Sonde chirurgicale.
ESTAU. Étal
ESTOMACH, ESTOMAQ Poitrine, corps, flanc
ESTONNER. Paralyser, pétrifier, immobiliser de stupeur
ESTOQ Épée
ESTRANGE. Étranger
ESTRIVER Lutter, disputer
ESTRIVIERES Étriers
EXERCITER Exercer

FACIENDE. Intrigues.
FAILLIR. Avoir tort, commettre une erreur; manquer.
FAIX. Fardeau.
FANTA(I)SIE Imagination
FANTASTIQUE Imaginaire, rêveur, imaginatif; livré à son imagination.
FANTASTIQUER Se laisser aller à son imagination.
FAUDROIT, FAUT Manquerait, manque
FAUTE (À-DE) Par manque de. — AVOIR FAUTE DE Manquer de.
FEINT Hypocrite; recréé (artistiquement ou mensongèrement). — FEINTE. Fiction.
FESTIER. Festoyer; faire fête à
FIER. Féroce, cruel
FINEMENT; FINESSE. Avec ruse; ruse, fourberie.
FORCE (À). Par la force, de force
FORTUNE. Hasard; aléa de la Fortune. — DE FORTUNE Par hasard.
FOURNIR. Trouver à son service
FRANC. Libre, noble; affranchi.
FRIAND. Gourmand.
FUITIF. Fugitif.
FUREUR. Inspiration, enthousiasme; déchaînement, folie
FURIEUX. Inspiré; déchaîné, fou.
FUZIL. Pierre à feu.

GAILLARD. Vaillant, imaginatif
GARDE (S'EN DONNER DE-) S'en défier.
GARDER QUE Empêcher que.
GARIR Guérir.
GENTIL. Noble, aimable.
GENTILLESSE. Noblesse, allure aisée et élégante.
GLORIEUX Vantard.
GOURMANDER Se conduire en gourmand
GOUSPILLER. Gaspiller.
GRÉ (PRENDRE À-). Agréer, accepter, prendre avec reconnaissance.
GREGEOIS. Grec.
GRESILLON. Grillon
GRISON. Grisonnant

HARNOIS. Équipement guerrier, armes
HAUSSEBEC. Hochement de tête

HEUR. Chance, bonheur.

IDOLE Image ; ombre, fantôme.
INCENSER. Rendre insensé.
INCOGNEU Inconnu.
IRE. Colère.

JA ; JA DESJA. Déjà ; désormais ; alors.
JACQUE. Cuirasse.

LARRON. Voleur
LARVE. Fantôme ; masque.
LEZ. Près de.
LIBERAL. D'homme libre, noble.
LORS Alors.
LOS, LOZ. Éloge, louange.
LOYER. Récompense

MALICE. Méchanceté, malignité.
MALIN. Méchant, pervers.
MANSINE. Manche de la charrue.
MANYE. Folie, obsession.
MARINE. Mer.
MAR(R)Y. Fâché, ennuyé.
MECHEF. Malheur.
MEILLIEU. Milieu.
MESNAGER. Administrer, gérer sa maison.
MIGNON. Favori, élu.
MODESTIE. Modération.
MONDAIN. De ce monde (par opposition à *divin* ou *céleste*)
MORION. Casque, avec une crête et des bords relevés.
MOUCHER. S'agiter à cause de la piqûre d'une mouche.
MUABLE. Inconstant, influençable.
MUTIN. Rebelle, séditieux.

NAGER. Naviguer.
NAVRER. Blesser.
NE... NE... Ni . ni. .
NEANT (POUR). Pour rien.
NEPVEUX. Descendants, postérité
NIER. Refuser ; renier.
NOM. Renom, réputation.
NOURRIR Éduquer ; vivre ordinairement.

OBJET. Point de mire.
OCIEUX. Oisif ; paresseux.
OMBRE (SOUS-DE). Sous prétexte de.
ONC, ONQ Jamais.
OPINION Idée non fondée en raison, gratuite.
OR(ES). Maintenant ; désormais ; alors. — OR .. OR... Tantôt. tantôt.
ORAISON. Prière.
OURSAL. Du nord
OUTRE-PASSE. Modèle.
OYENT, OYÉS, OYR... Entendent, entendez, entendre (ouïr).

PAISTRE (SE). (Se) nourrir.
PEDANT. Professeur.
PELISSÉ. Griffé, écorché.
PENDRE Suspendre.
PERSE. Bleu foncé.
PIETON. Fantassin.
PIL(L)OT. Pilote.
PIPER, PIPERIE. Tromper, tromperie.
PITEUX. Pitoyable, digne de pitié ; ému de pitié.
PITUITE. « Humeur froide et mélancolique, catarrheuse et gluante » (Cl Garnier).
PLAYE. Blessure.
POESLE. Chambre chauffée par un grand poêle en faïence.
POIGNANT ; POIN(G)T ou

POIND; POIGNANT. De POINDRE: piquer, aiguillonner, harceler, tourmenter
POINT (EN CE). De cette même façon.
POLICE Gouvernement, administration d'un pays, d'un groupe.
PORTER. Supporter
POUDRE, POUDREUX. Poussière, poussiéreux.
POUR Valeur fréquemment causale; parfois concessive; plus rarement de but.
PREDICANT. Prêcheur (terme du vocabulaire réformé).
PRODIGIEUX. Monstrueux.
PROVINCE. Pays (mais aussi sens actuel).

QUERELLE. Cause.
QUINTE. Fantaisie, fièvre.
QUITTER. Abandonner, laisser

RAGE Voir FUREUR.
RAISTRE. Voir REISTRE.
REBOUCHER. Émousser.
REGRINGOTÉ. Marmonné, psalmodié.
REISTRE, RAISTRE. Grand manteau comme en portaient les reîtres, c'est-à-dire les cavaliers allemands
REPOITRIST. Repétrit en retournant.
RE(S)PUBLIQUE. État, nation
RESVER. Divaguer, délirer.
RETIRER À. Tirer sur, ressembler à.
RHETORIQUEUR. Sophiste, raisonneur.
RIBLER. Détrousser, piller.
ROÜER (SE). S'enrouler, se retourner.
RUER. Précipiter, abattre.

SABLON. Sable.
SAGETTE. Flèche
SAISON. Age; époque; siècle
SANS PLUS Seulement.
SECOUX. Secoué.
SEDUIRE. Détourner de son devoir, tromper
SEJOUR Immobilité; arrêt.
SEMBLER. Ressembler (et sens moderne).
SERRER. Réserver.
SEUR, SEUREMENT. Sûr, en sûreté, en sécurité.
SEURTÉ (À). En sécurité.
SI. Toutefois, pourtant; aussi, ainsi — SI EST-CE QUE, SI ESSE QUE. Toutefois — SI QUE. Si bien que, de sorte que.
SIGNE. Constellation, astre.
SIGNER Bénir.
SOLDANS. Princes orientaux.
SOLDAR. Soldat.
SOUFFRIR. Supporter.
SOULER. Rassasier
SOURDESSE. Surdité.
SUFFISANT. Capable, compétent.
SUPERBE. Orgueilleux, arrogant.
SURMONTER. Vaincre, surpasser.
SURPELIS. Surplis
SURVEILLANT. Espion

TAN. Taon.
TANDIS. Pendant ce temps, cependant.
TANSEULEMENT, TANT SEULEMENT. Seulement.
TANT (À). Alors, maintenant.
TARGE, TARGUE. Bouclier; s. fig. : protection.
TAXER. Accuser.
TESTE (FAIRE-À). Résister

TOUFEAU. Amas, monceau.

TOURBE. Foule.

TOUT (DU). Complètement, totalement. — C'EST TOUT UN. Cela m'est égal.

TRASSE. Chemin tracé, marqué.

TRAVAIL. Supplice, torture.

TRAVAILLER. Tourmenter, torturer.

TROPE Troupe, foule

VACATION. Occupation quotidienne, ordinaire.

VAIN. Sans consistance, illusoire.

VAISSELLE, VAISSEAU. Vase, récipient.

VANTER (SE). Se prétendre.

VEILLE, VEILLEZ. Veuille, vouliez.

VENIN. Poison.

VENNÉ. Chassé, traqué, poursuivi

VERTU. Valeur, don; vaillance, courage.

VEU (EST). Paraît, ressemble.

VIANDE. Mets.

VIF Vivant.

VOIRE. Même, même si; vraiment. — VOIRE ET. Et même.

VOIS. Vais (verbe aller).

VOYLECI Le voici.

VULGAIRE. Le peuple.

TABLE DES MATIÈRES

DERNIÈRES PARUTIONS

RISTOTE
Petits Traités d'histoire naturelle (979)
Physique (887)

ERROÈS
L'Intelligence et la pensée (974)
L'Islam et la raison (1132)

RKELEY
Trois Dialogues entre Hylas et Philonous (990)

HÉNIER (Marie-Joseph)
Théâtre (1128)

MMYNES
Mémoires sur Charles VIII et l'Italie, livres VII et VIII (bilingue) (1093)

MOSTHÈNE
Philippiques, suivi de **ESCHINE,** Contre Ctésiphon (1061)

SCARTES
Discours de la méthode (1091)

DEROT
Le Rêve de d'Alembert (1134)

JARDIN
Les lauriers sont coupés (1092)

CHYLE
L'Orestie (1125)

LDONI
Le Café. Les Amoureux (bilingue) (1109)

GEL
Principes de la philosophie du droit (664)

RACLITE
Fragments (1097)

PPOCRATE
L'Art de la médecine (838)

FMANNSTHAL
Électre. Le Chevalier à la rose. Ariane à Naxos (bilingue) (868)

ME
Essais esthétiques (1096)

RÎSÎ
La Première Géographie de l'Occident (1069)

MES
Daisy Miller (bilingue) (1146)
Les Papiers d'Aspern (bilingue) (1159)

NT
Critique de la faculté de juger (1088)
Critique de la raison pure (1142)

BNIZ
Discours de métaphysique (1028)

LONG & SEDLEY
Les Philosophes hellénistiques (641 à 643), 3 vol. sous coffret (1147)

LORRIS
Le Roman de la Rose (bilingue) (1003)

MEYRINK
Le Golem (1098)

NIETZSCHE
Par-delà bien et mal (1057)

L'ORIENT AU TEMPS DES CROISADES (1121)

PLATON
Alcibiade (988)
Apologie de Socrate. Criton (848)
Le Banquet (987)
Philèbe (705)
Politique (1156)
La République (653)

PLINE LE JEUNE
Lettres, livres I à X (1129)

PLOTIN
Traités I à VI (1155)
Traités VII à XXI (1164)

POUCHKINE
Boris Godounov. Théâtre complet (1055)

RAZI
La Médecine spirituelle (1136)

RIVAS
Don Alvaro ou la Force du destin (bilingue) (1130)

RODENBACH
Bruges-la-Morte (1011)

ROUSSEAU
Les Confessions (1019 et 1020)
Dialogues. Le Lévite d'Éphraïm (1021)
Du contrat social (1058)

SAND
Histoire de ma vie (1139 et 1140)

SENANCOUR
Oberman (1137)

SÉNÈQUE
De la providence (1089)

MME DE STAËL
Delphine (1099 et 1100)

THOMAS D'AQUIN
Somme contre les Gentils (1045 à 1048), 4 vol. sous coffret (1049)

TRAKL
Poèmes I et II (bilingue) (1104 et 1105)

WILDE
Le Portrait de Mr. W.H. (1007)

GF-DOSSIER

ALLAIS
À se tordre (1149)

BALZAC
Eugénie Grandet (1110)

BEAUMARCHAIS
Le Barbier de Séville (1138)
Le Mariage de Figaro (977)

CHATEAUBRIAND
Mémoires d'outre-tombe, livres I à V (906)

COLLODI
Les Aventures de Pinocchio (bilingue) (1087)

CORNEILLE
Le Cid (1079)
Horace (1117)
L'Illusion comique (951)
La Place Royale (1116)
Trois Discours sur le poème dramatique (1025)

DIDEROT
Jacques le Fataliste (904)
Lettre sur les aveugles. Lettre sur les sourds et muets (1081)
Paradoxe sur le comédien (1131)

ESCHYLE
Les Perses (1127)

FLAUBERT
Bouvard et Pécuchet (1063)
L'Éducation sentimentale (1103)
Salammbô (1112)

FONTENELLE
Entretiens sur la pluralité des mondes (1024)

FURETIÈRE
Le Roman bourgeois (1073)

GOGOL
Nouvelles de Pétersbourg (1018)

HUGO
Les Châtiments (1017)
Hernani (968)
Quatrevingt-treize (1160)
Ruy Blas (908)

JAMES
Le Tour d'écrou (bilingue) (1034)

LAFORGUE
Moralités légendaires (1108)

LERMONTOV
Un héros de notre temps (bilingue) (1077)

LESAGE
Turcaret (982)

LORRAIN
Monsieur de Phocas (1111)

MARIVAUX
La Double Inconstance (952)
Les Fausses Confidences (978)
L'Île des esclaves (1064)
Le Jeu de l'amour et du hasard (976)

MAUPASSANT
Bel-Ami (1071)

MOLIÈRE
Dom Juan (903)
Le Misanthrope (981)
Tartuffe (995)

MONTAIGNE
Sans commencement et sans fin. Extra des *Essais* (980)

MUSSET
Les Caprices de Marianne (971)
Lorenzaccio (1026)
On ne badine pas avec l'amour (907)

PLAUTE
Amphitryon (bilingue) (1015)

PROUST
Un amour de Swann (1113)

RACINE
Bérénice (902)
Iphigénie (1022)
Phèdre (1027)
Les Plaideurs (999)

ROTROU
Le Véritable Saint Genest (1052)

ROUSSEAU
Les Rêveries du promeneur solitaire (

SAINT-SIMON
Mémoires (extraits) (1075)

SOPHOCLE
Antigone (1023)

STENDHAL
La Chartreuse de Parme (1119)

TRISTAN L'HERMITE
La Mariane (1144)

VALINCOUR
Lettres à Madame la marquise *** sur *Princesse de Clèves* (1114)

WILDE
L'Importance d'être constant (bilingu (1074)

ZOLA
L'Assommoir (1085)
Au Bonheur des Dames (1086)
Germinal (1072)
Nana (1106)

GF Flammarion

05/06/114860-VI-2005 – Impr. MAURY Eurolivres, 45300 Manchecourt.
N° d'édition FG031603. – 2e trimestre 1979. – Printed in France.